LA IMAGEN
DEL ÉXITO

LA IMAGEN DEL ÉXITO

Gaby Vargas
de González Carbonell

Prólogo de
Germán Dehesa

McGRAW-HILL

**MÉXICO • BUENOS AIRES • CARACAS • GUATEMALA • LISBOA • MADRID
NUEVA YORK • SAN JUAN • SANTAFÉ DE BOGOTÁ • SANTIAGO • SÃO PAULO**
AUCKLAND • LONDRES • MILÁN • MONTREAL • NUEVA DELHI
SAN FRANCISCO • SINGAPUR • ST. LOUIS • SYDNEY • TORONTO

Gerente de producto: Iliana Gómez Marín
Supervisor editorial: Carmen Paniagua Gómez
Supervisor de producción: Juan José García
Supervisor de diseño de portada: Dolores Parrales
Ilustraciones: José Contreras Semap

LA IMAGEN DEL ÉXITO

DERECHOS RESERVADOS © 1998, respecto a la primera edición por
McGRAW-HILL INTERAMERICANA EDITORES, S.A. de C.V.
Una división de *The McGraw-Hill Companies, Inc.*
Cedro No. 512, Col. Atlampa,
Delegación Cuauhtémoc
06450 México, D.F.
Miembro de la Cámara Nacional de la Industria Editorial Mexicana, Reg. Núm. 736

ISBN 970-10-1890-7

Impreso en México   Printed in Mexico

Primera reimpresión: Diciembre 1997
Segunda reimpresión: Diciembre 1997
Tercera reimpresión: Enero 1998
Cuarta reimpresión: Febrero 1998
Quinta reimpresión: Abril 1998
Sexta reimpresión: Marzo 1998
Séptima reimpresión: Agosto 1998
Octava reimpresión: Septiembre 1998
Novena reimpresión: Octubre 1998
Décima reimpresión: Noviembre de 1998
Décimo primera reimpresión: Diciembre de 1998
Décimo segunda reimpresión: Marzo de 1999
Décimo tercera reimpresión: Abril de 1999
Décimo cuarta reimpresión: Octubre del 2000

Esta obra se terminó de
imprimir en Octubre del 2000 en
Programas Educativos S.A. de C.V.
Calz. Chabacano No. 65-A
Col. Asturias Delg. Cuauhtémoc
C.P. 06850 México, D.F.
Empresa certificada por el Instituto Mexicano
de Normalización y Certificacion A.C. bajo la
Norma ISO-9002 1994/NMX-CC-004 1995 con
El núm. de registro RSC-048

Se tiraron 10,000 ejemplares

Para Joaquín Vargas,
ejemplo de lucha, superación y manejo del éxito

AGRADECIMIENTOS

Quiero agradecer a quienes sin su incondicional apoyo y ayuda, no hubiera sido posible realizar este libro:

A Pablo mi eterno amigo, esposo y juez.

A mis hijos Paola, Carla y Pablo por su crítica y apoyo.

A Iliana Gómez, mi editora, quien me animó a publicarlo y siempre me hizo sentir que hacerlo era algo muy sencillo.

A Germán Dehesa, mi maestro y mi amigo de muchos años, por su generosidad en el prólogo.

A Pedro Ferriz por su constante amistad y apoyo.

A Concha de Haro por su inteligencia y buen juicio.

A Blanca Luz Pulido quien hizo la corrección de estilo.

A Patricia Castro por su paciente ayuda en la revisión y organización del material.

A todos mis amigos y parientes que aportaron ideas muy valiosas.

De corazón, les doy mi más profundo agradecimiento.

CONTENIDO

INTRODUCCIÓN

¿Qué es lo que proyecta en una primera impresión? ¿Hace cuánto tiempo no se detiene usted a considerar cómo lo están percibiendo los demás? Todos los días se enfrenta a numerosas situaciones que afectan e influyen en esta percepción y finalmente son los pequeños detalles como: su comportamiento, sus gestos, sus modales, su vestimenta, la comunicación no verbal, los que revelan mucho acerca de quién es usted y esto determina la efectividad de su comunicación en sus relaciones sociales y de trabajo. Muchas veces la manera en que nos perciben los demás es distinta a la que creemos comunicar.

En este libro, le presento sencillas técnicas, comprensibles y muy efectivas para incrementar y fortalecer su potencial, las cuales fui investigando a lo largo de 20 años de dedicarme al estudio de la imagen de las personas y que he comprobado son efectivas. Usted va a notar cómo la gente lo ve diferente y responde mejor a sus expectativas después de aplicar algunos consejos.

En el trabajo de investigación he recurrido a los autores más reconocidos de las distintas áreas que se tocan. Los capítulos se dividen en cuatro grandes secciones que son: Comunicación no verbal La ropa, Protocolo y Lenguaje corporal, y que le darán la oportunidad de evaluar su imagen y fortalecerla.

Mi promesa es que después de leerlo, en el crecimiento de su carrera profesional y personal va a sentirse más seguro de cómo manejarse en todas aquellas circunstancias en las que a veces duda-mos. Los consejos y las técnicas que verá, aumentarán su impacto, por lo tanto su credibilidad y eficiencia.

Si un solo consejo de lo que encuentra aquí, le es útil para sentir-se mejor y más seguro, ha valido la pena el esfuerzo.

Carisma ¿qué es?

¿Qué poseen ciertas personas que por alguna razón atraen nues-tra atención? Recuerdo haberme hecho esta pregunta varias veces a lo largo de mi vida, en la escuela por ejemplo,me intrigaba saber cuál era el secreto de esa niña segura de sí misma, atractiva, siempre ro-deada de amigas.

En las reuniones sociales, no falta tampoco la persona que siem-pre es el centro de atención, con quien disfrutamos estar y buscamos su compañía. En el trabajo, el vendedor que siempre sobrepasa las expectativas sin tener ninguna diferencia aparente con sus compañe-ros. ¿Por qué un gerente tiene que estar presionando a su personal mientras que el otro con sólo apuntar la dirección, la gente lo sigue?

Siempre me ha llamado la atención ese poder que tienen algunas personas para atraer a los demás. Hay quienes lo llaman "liderazgo", "tener ángel" o personalidad, sin embargo la palabra "carisma" com-prende todo eso.

La palabra "carisma" viene del griego "carisnmata" y quiere decir regalo de los dioses, o don de la profecía.

En la época de los griegos se pensaba que se nacía con esta cualidad. Ahora en día sabemos que ese magnetismo mágico y misterioso es una habilidad que, como cualquier otra, todos podemos desarrollar.

En su libro *Carisma: cómo obtener esa magia especial*, Marcia Grad, nos la desmenuza separándola en tres tipos:

1. Pseudocarisma. Como su nombre lo dice, es un carisma falso, creado para "prender" un encanto cuando es necesario. Por ejemplo, los actores, políticos, vendedores profesionales, desarrollan esta ha-bilidad cuando es necesario que les creamos. Es una imagen meticu-losamente diseñada para impresionar y es de corta duración. Creo que todos hemos recurrido a esto en algún momento de nuestras vidas y hemos comprobado lo falso que es.

2. Grad, define el segundo caso como carisma real situacional. Este surge cuando verdaderamente nos sentimos bien con nosotros mis-mos en una situación particular. Cuando nos sentimos orgullosos

de algo que realizamos, cuando nos sentimos especialmente competentes en un campo dado, nuestra autoestima aumenta, y esto influye directamente en cómo nos ve la gente. Sin embargo, es situacional y sólo sucede cuando estamos al mando de algo o en el escenario. Fuera de escenario podemos ser tímidos o inarticulados. Por ejemplo, un ejecutivo puede brillar en una junta de negocios, pero sentirse extraño y fuera de lugar en una convivencia con su hijo. O usted puede sentir que está en su mejor momento dentro de una cancha de fútbol y no sentirse igual fuera de ella. Todos podemos pasar por circunstancias así.

Las personas que poseen este carisma real situacional emanan una energía especial. Sin embargo, a veces no es así en todo lo que realizan.

3. Carisma genuino. La gente que posee esta clase de carisma es capaz de mantener la emoción acerca de ellos, más allá de una favorable primera impresión, del estímulo o de la situación temporal. Son capaces de atraer a los demás y de influir en ellos porque proyectan lo mejor de su ser, y estrechan lazos con los demás basados en el respeto y la comunicación honesta.

El genuino carisma no proviene de hacer bien o muy bien las cosas, no surge de una opinión exterior. Es un estado interior personal de ser, estar y sentirse bien consigo mismo. Es la armonía entre el alma y sus emociones que se nutre de amor, amistad, autenticidad, integridad. Es caerse bien, es entablar amistad con nosotros mismos, como resultado de saber que estamos dando nuestro "diez" en distintas áreas, en lo familiar, en el trabajo, en lo social así como en lo personal. Ello requiere un esfuerzo constante por mantenerse, pues no es algo que aparece y permanece de manera constante.

Las personas carismáticas parecieran tener una luz a su alrededor que nuestro inconsciente es capaz de captar, por eso nos atraen misteriosamente. Si la luz la pasamos por un prisma, los colores se refractan y surgen los siete colores del arcoiris.

Cada uno tenemos un arcoiris invisible que rodea nuestro espacio. Los colores del arcoiris son los diferentes aspectos de nuestro ser. El ser espiritual, emocional, intelectual, psicológico estratégico, físico y el equilibrio.

La mayor parte de lo que platicaremos juntos en este libro, abarcará fundamentalmente el aspecto físico. Sin embargo es muy importante considerar que la imagen de éxito, no reside sólo en vestirnos bien, saber saludar, relacionarnos bien con los demás, sino que reside en todos los aspectos de nuestro ser. El aspecto físico es tan importante como cualquier otro. Es el equilibrio de los colores lo que le da belleza al arcoiris.

Iluminar cada uno en forma total y brillante es lo que hace a una persona carismática. En este libro le daré herramientas para que tenga más capacidad de influir en los demás, se sienta más confiado y seguro de usted mismo. Es probable que ya tenga muchos aspectos del carisma. ¡Qué bueno! habrá otros que necesite mejorar o desarrollar!

Las personas nos sentimos fuertemente atraídas por gente que cree en sí misma, que tiene una actitud positiva, energética y con una clara visión de lo que quiere. Es importante empezar con el convencimiento de que usted posee estas características.

PRÓLOGO CON
IMAGEN

Estoy abrumado. Mi muy querida amiga Gaby Vargas me recuerda mi sincero y cordial ofrecimiento de escribirle un prólogo para un libro, que en los tiempos del ofrecimiento, era sólo un proyecto. Una vez más, no conté con la implacable tenacidad de las mujeres que las lleva a conseguir cuanto se proponen, trátese de un señor, de unos triates, o de un libro. El libro ya está aquí y lo he leído como quien lee un examen de admisión a la universidad de la vida y con horror he podido comprobar que no alcanzo a obtener una calificación aprobatoria en ninguna de las materias. Después de leerlo he experimentado un desconsuelo enorme que sólo se compensa al recordar que sólo en México también viven y sobreviven personas como Carlos Monsiváis y Héctor Bonilla que son, entre los que conozco, dos seres todavía más descuacharrangados que yo. La otra compensación —la que realmente me mueve a escribir estas líneas— es la imagen siempre propia, siempre elegante, siempre sonriente, siempre discreta, siempre afectuosa de Gaby Vargas. De la misma manera que yo quedo reprobado, ella obtendría mención honorífica y esto es lo que la faculta para avisarnos a las folclóricas huestes del sector masculino de México acerca de lo que podemos evitar para que nuestra imagen resulte grata y exitosa.

Me permitiré aquí unas veloces reflexiones acerca del éxito, vocablo que en sus orígenes latinos se vinculaba con "término, salida, o resultado de una empresa, una acción, o un suceso". (El inglés todavía conserva este sentido en la palabra "exit"); por esto los autores clásicos de nuestra lengua podían hablar del mal éxito. Este distingo casi se ha perdido en el español de hoy y ya éxito significa "buen éxito". Lo que sigue siendo materia discutible es lo que cada quien considera como éxito. Hay quien lo mide en términos financieros, hay (desgraciadamente) quien considera como éxito la eficacia de un engaño y existen los que miden el éxito en términos de libertad, de cumplimiento de sus aspiraciones en la vida y, sobre todo del amor que han podido dar y recibir. Yo enfáticamente me coloco en este tercer grupo (en el sector moderado) y a mis avanzados 53 años puedo entender que el respeto es un apéndice indispensable del amor y puedo entender que amor y respeto no son arquetipos platónicos, sino cotidianos ejercicios de vida que por fuerza incluyen la obligación de no ofender al mundo, a los mínimos coeficientes estéticos, a los elementales requerimientos de la higiene y a las pupilas de nuestro prójimo con nuestra apariencia personal. Hace muchas décadas que dejé de considerar que andar por el mundo como tzotzil descontinuado era un modo de minar las bases del poder. Pensemos, por dar un fulgente ejemplo, en Fray Juan de los Ángeles que, en los tiempos de la Contrarreforma decidió que toda atención que el hombre dedicara a su cuerpo y a su apariencia personal eran una distracción y una ofensa a su amor por Dios. Hacia el final de su vida, Fray Juan era un pestilente conjunto de pelos, uñas y mugre más digno de auxilio psiquiátrico que de veneración cristiana. Si a este triste modelo de nuestra tradición le sumamos el actual gusto del mexicano medio por la terlenka, los pantalones abajo de la barriga, los zapatos tipo chalupa, las camisas con estampado alucinante, las cadenas de oro que relumbran en sus muñecas y en su lampiño pecho, los sacos verde perico combinados con pantalones color mostaza; entenderemos que el libro de Gaby –dejando a un lado mi irredimible caso– es un artículo de primera necesidad no tan sólo para aquellos que ya se conforman con ser parte del deterioro del paisaje urbano.

A fin de cuentas, un solo reparo tendría que hacer a la que sin duda considero una experta en la materia: ¿por qué enfoca su libro a los hombres? Gaby y yo sabemos perfectamente que sólo una mujer con gusto puede hacer algo por ese diamante en bruto que Cupido le ha deparado. Éste es un libro que debe ser leído por las mujeres, pues son ellas las únicas que pueden refrenar los tropicales arrebatos de temperamento y vestimenta que aquejan a la mayoría de los nacidos en estas tierras. Créanme que hablo por experiencia, pues sólo Hillary ha sido capaz de que me ponga corbata aunque fuera exclusivamente para nuestra ceremonia nupcial.

Y ya no distraigo más a lectores y lectoras. Los libros se defienden solos o no los defiende nadie. Comparto con Gaby la noción de que si ya nos tocó vivir, tenemos el deber de hacerlo con la debida elegancia y cortesía. De estas dos materias ella sabe mucho y lo comparte en este libro. En Dios espero que le resulte provechoso.

Germán Dehesa
Octubre de 1997

COMUNICACIÓN
NO VERBAL

CAPÍTULO I

SU IMAGEN.
SU MEJOR ARGUMENTO

1. La imagen, ¿algo superficial?

Hablar de nuestra imagen, de cómo nos presentamos a los demás, de cómo nos vestimos, podría parecer que es hablar de algo superfluo o banal; sin embargo, estoy convencida de que no hay nada más alejado de la verdad.

Para entender mejor qué es lo que "la imagen" representa, apliquemos por un momento este concepto a otros terrenos.

¿Qué imagen tiene nuestro país? En los últimos años, los hechos internos han deteriorado nuestra imagen hacia el exterior y han opacado las riquezas y bellezas que tenemos.

¿Qué imagen tiene una ciudad como la de México? Cuando recibimos visitantes extranjeros, quisiéramos que sólo vieran las bellezas que tenemos y pasaran por alto la basura, la contaminación, el tráfico, la violencia, etcétera. Habría que preguntarnos si esa imagen que damos al exterior verdaderamente representa a los que vivimos en ella.

Nuestra colonia, ¿qué imagen tiene? Cuando transito por las calles donde habito, cómo agradezco ver que un vecino arregló y pintó su fachada, que alguien más sembró hiedra, o que la delegación mandó componer la banqueta que llevaba años rota. Elevar la imagen de la colonia donde habitamos da dignidad a nuestra familia.

Cuando invitamos por primera vez a nuestros amigos o a los amigos de nuestros hijos a nuestra casa, ¿qué imagen tiene? Hay casas donde se puede uno llenar de la armonía que transmiten; en cambio, hay otras donde al entrar, sin saber exactamente por qué, se puede sentir la falta. Todo lo transmiten las paredes, la luz, la atmósfera, y esto no se debe a lo que tenemos sino ...a cómo lo tenemos.

Como pareja... ¿qué imagen damos? ¿Cuántas veces vemos parejas que ya perdieron el interés de conquistarse físicamente? Cuando en un acto egoísta perdemos el interés de conquistar al otro, de alguna manera estamos mostrando que por dentro algo se está muriendo. ¿Cuántas parejas conocemos que ya divorciados es cuando empiezan a adelgazar, a hacer deporte y a preocuparse por su persona? ¿Por qué no lo hicieron antes? La imagen sólo refleja lo que está sucediendo por dentro.

¿Qué imagen proyecta usted como persona? Piense en su imagen como el empaque con el que se presenta a los demás, tanto en contenido como en presentación. El contenido es lo que somos, lo que llevamos por dentro. La personalidad que se refleja en el brillo de los ojos, la sonrisa encantadora, las palabras que expresan sus ideas y pensamientos, lo paciente que es para escuchar, su entusiasmo, su actitud, su trabajo, etcétera.

La envoltura es nuestra apariencia: la limpieza, el cuidado que ponemos al arreglarnos, la complexión, el peso, la ropa que nos ponemos, la manera en que la llevamos, la postura, los lentes, los zapatos, el peinado, etcétera. Después de todo, es lo que los otros ven primero. La venta de nosotros mismos comienza ahí. Puede ganarse o perderse simplemente por el empaque.

Imagine que recibe un regalo con una envoltura preciosa. Al verlo, ¿qué se imagina que haya adentro? Algo bueno, bonito, de calidad. ¿No? Sin embargo, si ese regalo le llega con una envoltura rota, sucia, la caja destrozada. Al verlo ¿no empieza usted a preocuparse por el estado del contenido? ¿No inmediatamente piensa que es muy probable que sea un regalo reciclado del clóset? ¿Se imagina que hay algo igual de bueno y bonito que en el regalo bien presentado?

Sin embargo, al abrirlo se da cuenta de que, perfectamente bien empacada, viene una pieza de cristal fino. ¿Se lo imaginaba? No, ¿verdad? Eso mismo sucede con muchas personas: estamos llenos de valores por dentro, llenos de cualidades. Pero, ¿cómo va la gente a saberlo si nos presentamos hechos una desgracia?

Víctor Frankl decía que una obra de arte lo remitía al espíritu del artista. Éste es el valor de la imagen.

Así, la imagen representa un valor estético importante, que muestra lo que somos, y tiene una enorme influencia en todo lo que nos rodea, de modo que valdría la pena detenernos y dedicarle un tiempo y un espacio; que retomemos esta parte que muestra un interior, y que busquemos un cambio. La imagen es la puerta que abrimos a los demás para mostrar quiénes somos.

2. La primera impresión

Cuando observamos a alguien caminando en la calle, en un evento, en un restaurante, ¿qué es lo primero que llama nuestra atención?

En la Universidad de Georgetown, Washington, se realizó un estudio precisamente de esto: ¿qué es lo que vemos en un abrir y cerrar de ojos en los demás? El resultado se publicó en el *Public Opinion Magazine* y fue dividido por sexos.

Por ejemplo: ¿qué cree que sea lo que primero ve un hombre en una mujer?

En orden de importancia:

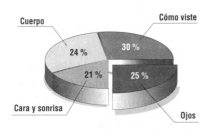

Lo que la *mujer* ve primero en un *hombre*:

Lo que el *hombre* ve primero en el *hombre*:

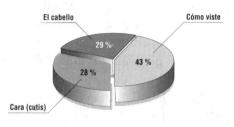

Lo que una *mujer* ve primero en otra *mujer*

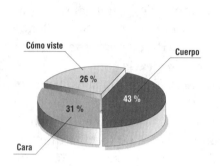

Lo que un *hombre* ve primero en una *mujer*

Cómo se puede ver, en lo que primero nos fijamos es en qué traemos puesto. La forma en que vestimos está constantemente *comunicando* quiénes somos.

Comunicamos nuestro estado de ánimo, nuestra autoestima, el respeto que tengo por mí mismo, el respeto que tengo por los demás, y sobre todo, comunicamos si somos una persona de éxito o si no lo somos.

Las personas que se dedican a las ventas en ocasiones me preguntan cómo se deben vestir. La respuesta es: hay que vestir suficientemente bien, de manera que no parezca que necesitamos la venta para subsistir, pero no tan bien que el cliente no se logre identificar con nosotros.

Respecto a vestir de manera tradicional o muy moderna, cualquiera de los dos extremos es arriesgado. Cuando vestimos de manera demasiado conservadora podemos ser percibidos como estancados, y poco flexibles para adaptarnos al cambio; por otro lado, si nos vestimos de manera demasiado moderna, por lo regular el cliente puede tener la idea de que lo que le estamos vendiendo ahora quizá sea irrelevante mañana. Usted debe verse actualizado, pero no moderno, evitar corbatas o accesorios muy llamativos. La idea es que los demás recuerden lo profesional que se veía sin acordarse específicamente de nada en particular; vestirnos...como si ya hubiéramos llegado a donde deseamos llegar. Vestirse es como una inversión en nosotros mismos, como una herramienta que nos ayuda a alcanzar nuestras metas.

Recuerde: "Nunca tenemos una segunda oportunidad para causar una buena primera impresión".

3. La autoimagen

Nuestra imagen afecta la manera en que los otros nos perciben, pero lo más importante aún influye en cómo nos percibimos a nosotros mismos. No podemos dar aquello que no tenemos. Cuando usted se siente bien, se ve bien.

Todos hemos tenido esos días que al ir caminando por la calle, o al entrar en el elevador, nos encontramos con nuestra imagen reflejada en un espejo, y nos sale del alma decir: "¡Qué bien estoy hoy! He adelgazado un poco, el traje me sienta bien, me siento atractivo". Son esos momentos mágicos que muchas veces quisiéramos atrapar y que se nos escapan de los dedos.

Recordemos por un instante esos momentos. ¿Cómo estaban sus ganas de relacionarse con los demás? ¿Sus ganas de platicar, de sonreír? Bueno, ¡hasta el tono de voz al contestar el teléfono cambia!

En esos días uno se siente así, sencillamente porque nos gustamos, porque sabemos que nos hemos cuidado, hemos hecho ejercicio, estamos satisfechos con nosotros mismos. El sentirnos bien, el gustarnos...se refleja en todo.

Sin embargo, todos hemos tenido esos días cuando al ver nuestra imagen reflejada en un espejo nos sale del alma decir: "Hoy, de plano, ¡no es mi día! ¡Me siento gordo!, ¡los pantalones me aprietan!, ¿me estoy quedando calvo?, este traje se me ve muy mal", qué sé yo, mil cosas que todos nos hemos dicho algún día. Recordemos por un momento, ¿cómo nos sentíamos entonces? ¿De qué humor estábamos? No teníamos ganas de sonreír ni de comunicarnos. ¡Hasta la forma de caminar nos cambia!

Cuando tenemos una autoimagen positiva nos gusta lo que vemos, se produce un efecto multiplicador, ya que si uno se gusta a sí mismo, crece nuestra autoestima, proyectamos una mayor confianza y por lo tanto hay un mejor desempeño; se gana el reconocimiento de los demás y se forma un círculo virtuoso, el cual nos motiva a seguir mejorándonos.

Todos hemos visto a personas perfectamente capaces, trabajadoras, talentosas, estancadas en sus carreras porque su pobre autoimagen y autoestima los inhiben para expresarse y ganar así el reconocimiento que se merecen.

Cuando la persona proyecta una mala imagen en su vestir o físicamente no está en forma, asume un comportamiento no muy confiado, lo que de hecho afecta su desempeño.

Las demás personas perciben esta imagen negativa y de pronto nos vemos metidos en un círculo vicioso porque nos damos cuenta de que no estamos siendo aceptados y esto deteriora aún más nuestra imagen.

¿Qué se interpone en nuestro camino para sentirnos completamente seguros de nosotros mismos? ¿Qué comentarios recibimos de nuestros amigos acerca de nuestra forma de vestir, de nuestro peso, de nuestra piel, que nos han molestado?

La autoimagen está en nuestras manos. Esforcémonos en cambiar nuestro exterior, de manera que al ver nuestra imagen reflejada en un vidrio, nos salga del alma decir: ¡Qué bien me siento!

Los cirujanos plásticos lo han comprobado. Casi siempre, al cambiar el físico de una persona, cambian su personalidad, su conducta e incluso sus talentos y habilidades. Por ejemplo, el que era tímido porque tenía una cicatriz en la cara, que era su obsesión, y que diariamente al rasurarse le molestaba verla, al corregírsele se convierte en una persona más segura, más abierta. Se siente mejor, porque el problema no era puramente físico, sino también emocional, ya que afectaba su autoconfianza.

Para la gente con algún defecto facial, la cirugía plástica puede hacer milagros. En el momento en que el cirujano corrige el detalle, su bisturí funciona como un instrumento mágico que transforma no sólo el físico, sino la vida entera también.

Algo muy común, sobre todo entre los adolescentes, es que se imaginan feos, simplemente porque sus facciones no son perfectas como las de Tom Cruise, Claudia Schiffer o Brooke Shields. El problema es que si nos sentimos feos, actuamos como feos y, además, ¡nos vemos feos!

Si pregunta a la mayoría de las personas si está contenta con su físico, 90% le contestará que hay algo que no les gusta. Pequeños cambios harán la diferencia, como bajar tres kilos de peso, cortarse el cabello de una manera diferente o usar los colores que sabemos que nos favorecen, puede hacer que nuestra actitud cambie por completo.

Estoy convencida de que no hay personas feas o guapas, sino flojas. ¡Hay tanto a nuestro alcance para vernos mejor!

Pongamos interés en nuestro arreglo, para que cuando veamos nuestra imagen reflejada en el vidrio nos salga del alma decir: ¡Qué bien estoy!

4. La autoconfianza

Estamos viviendo una época de cambios en todos los planos: político, económico y social. Esto ha obligado a mucha gente a ajustarse a nuevos estilos de vida. Ha tenido que adquirir nuevas habilidades para conservar sus empleos. Ha recurrido a la imaginación para hacer más con menos. Esto, sin duda, ejerce mucha presión, y para hacerle frente a esa presión todos necesitamos una buena dosis de autoconfianza.

Sin embargo, ¿cómo obtener la autoconfianza? A veces la publicidad en la televisión, en las revistas, nos hace creer que la autoconfianza se obtiene de un sinnúmero de elementos: la dieta, las pastillas para el aliento, la última moda, un aparato para hacer ejercicios, un auto, etcétera. Desgraciadamente no es tan sencillo. De lo que sí podemos estar seguros es de que se trata de un activo muy valioso, que todos podemos tener y que hay muchos caminos para lograrlo.

La palabra confianza viene del latín *confidere*, que quiere decir: creer. En algún lugar leí que Santo Tomás decía: "Ver para creer", pero ahora podemos decir que es al revés, que tenemos que *creer* para *ver*. A continuación comparto con ustedes lo que la psicóloga Philippa Davies en su libro *Total Confidence* nos sugiere.

1. Creer en nosotros mismos. Eso es lo primero; para ello, podemos tener nuestra "reserva de logros", de los cuales nos sentimos orgullosos en nuestro pasado, y examinar esa reserva cuando andamos con la autoestima baja, ya que es frecuente que cuando nos sintamos así pasemos por alto aquello que nos animó en otras ocasiones. Visualicemos en la mente lo que queremos lograr y venzamos esta tendencia natural a predisponernos al fracaso. Hay que eliminar por completo esa vocecita interior que nos dice: "Está muy difícil, no vas a poder, eres malísimo para eso", etcétera.

Cuando la mente no cree o duda, atrae todas las razones para sustentar el fracaso. ¿Sabe cuál es la definición de mediocre?: aquel que "medio cree" en sí mismo. En el momento en que yo cambio mis creencias, el mundo cambia inmediatamente.

Esta tendencia natural del ser humano la describe Sor Juana en uno de sus sonetos:

"Si es mío mi entendimiento,
porque siempre he de encontrarlo tan torpe
para el halago y tan duro para el daño".

Cada vez que se descubra a sí mismo pensando en algo negativo sobre su persona, deténgase de manera tajante. Piense en frases como: "Hoy no salieron las cosas como quería, pero algo aprendí", "Esto me está costando un poco de trabajo, pero lo voy a lograr".

Lo que decimos y pensamos son órdenes para nuestro cerebro.

2. Disciplina. En la medida en que uno se disciplina en las pequeñas cosas que le cuestan trabajo, uno se respeta más. En esa misma proporción crece la autoconfianza. Cuando posponemos el placer inmediato, éste se acrecienta y se transforma en seguridad. La disciplina da seguridad, nos hace sentir que tenemos el control de nosotros mismos.

3. Asumir las actitudes que anhelamos. Cuando nos preguntan: "¿Cómo estás?" y usted no anda muy bien, lo mejor que puede hacer es contestar: "De maravilla, ¿y tú?" El solo hecho de decir esto nos va a hacer sentir de maravilla. Jamás, jamás conteste como esas personas que pertenecen al "club de la lágrima perpetua" que se la pasan de queja en queja. A ellas apLíqueles la ley de la glorieta: deles la vuelta. Porque una actitud negativa es muy contagiosa. Cuando se sienta nervioso, actúe como si se sintiera tranquilo. El comportamiento cambia el pensamiento.

Recordemos que "el pájaro no canta porque sea feliz, sino que es feliz porque canta".

5. ¿Qué es la personalidad?

"¡Qué personalidad tiene!" Seguramente hemos pensado esto al ver a un artista de cine o televisión, o al ver a alguien simplemente caminando por la calle. A todos nos gustaría que la gente pensara eso al vernos. Pero... ¿qué es la personalidad?, ¿cómo obtenerla?, ¿qué misteriosos elementos la componen?

Lo primero que se nota de alguien con personalidad es el hecho de que esa persona se siente cómoda con ella misma, se gusta, se cae bien, siente orgullo por su persona y lo proyecta en su caminar, en su forma de hablar, en el brillo de los ojos, en su porte y en el estilo que adopta al vestir.

Cuando hablamos del vestir, nunca se ve como si esa persona hubiera tomado horas para arreglarse, o como si quisiera a propósito impresionarnos; la personalidad no viene simplemente de vestir bien o arreglarse mucho, sino que es algo surgido del interior, es ese magnetismo mágico y misterioso que es fácil de reconocer y difícil de definir, pero que todos podemos alcanzar.

¿Por qué es tan fácil que un bebé capture el cariño de los demás? Seguramente no es por lo que hace, sabe o tiene, simplemente nos atrae por lo que es. Porque en él no encontramos ninguna superficialidad, hipocresía o falsedad. Nos comunica sus verdaderos sentimientos a través de su propio lenguaje /llorar o sonreír/, que es transparente.

Creo que ahí está la clave /el que seamos nosotros mismos/, sin biombos, caretas sobre todo, sin miedos ni pensamientos negativos como el "...y si no caigo bien". "...y si piensan de mí que..."; nada de eso, los bebés son como son y por eso nos parecen adorables. El ser yo mismo no debe ser difícil, pero ¡cómo tendemos a cerrar nuestra personalidad bajo llave! Lo logramos cuando no expresamos lo que pensamos, cuando tenemos miedo de mostrar tal como verdaderamente es nuestra forma de ser.

Personalidad todos tenemos, sólo hay que dejarla salir, y ésta va a surgir en el momento en que dejemos de estar preocupados por la impresión que estamos causando, cuando dejemos de tratar de caer bien, cuando dejemos de actuar como alguien que no somos.

Creer en nosotros mismos, conocernos y reconocer nuestras cualidades, sin duda es la base para construir nuestra propia personalidad.

La personalidad surge del interior, y si la complementamos y aprendemos a sacarle brillo en nuestro exterior, a /conocernos físicamente/, para hacer del vestir una continuación de nuestra personalidad más que una contradicción, hará sentirnos y vernos más atractivos.

Así que no tengamos miedo a mostrar nuestro verdadero yo, a sacarnos el mejor partido para sentirnos muy atractivos. Sin duda lograremos que la gente al vernos diga: "¡qué personalidad tiene!"

6. El poder de la autosugestión

¿Cuáles cree que sean los elementos que necesitaron los ganadores de medalla de oro en las Olimpiadas?

Entrenamiento, disciplina, tenacidad y condición física cercanos a lo perfecto en un ser humano. La diferencia entre subir al lugar de premiación y regresar silenciosamente a su país está en la mente.

¿Cómo nutrir una mentalidad de ganador?

Una de las formas que más utilizó para su entrenamiento Michael Johnson, quien por primera vez en la historia de las Olimpiadas, en 1996, ganó las dos carreras de 400 y 200 m, fue visualizándose llegando a la meta y ganando, llenando su mente de imágenes de fuerza, de velocidad y viéndose con las medallas de oro puestas.

Se hizo un experimento en el cual dos personas tenían que mejorar su tiro al blanco. Una se colocó por un periodo determinado frente al disco de tiro y solamente se imaginaba dándole al blanco, mientras que la otra practicó físicamente por el mismo periodo; la habilidad de las dos mejoró en el mismo porcentaje.

También se sometió al mismo experimento a dos grupos de estudiantes; a uno se le pidió practicar tirar canastas de basquetbol durante 20 días diariamente; se les midió el porcentaje de aciertos antes y después del experimento. Al otro grupo se le indicó practicar mentalmente los tiros durante sólo 20 minutos y si fallaban se imaginaban corrigiendo el tiro; practicaron sólo 20 minutos durante igual número de días.

El grupo que practicó diario mejoró su puntuación en 24% y el que practicó mentalmente mejoró 23%. Los golfistas saben perfectamente que el 90% del éxito del juego está en la mente, un 8% en lo físico y un 2% en lo mecánico. Si visualiza la pelota en donde quiere que vaya y tiene la confianza de saber que va a hacer lo que quiere, el subconsciente se encarga y dirige sus músculos correctamente.

Como seres humanos, sentimos y nos desempeñamos de acuerdo con lo que pensamos o visualizamos que somos. *ÉSTA ES UNA LEY FUNDAMENTAL DE LA MENTE.* Esto lo vemos gráfica y dramáticamente en una persona hipnotizada, y tendemos a pensar que hay algo oculto o supranormal en ello, pero en verdad se trata del proceso normal de cómo operan el cerebro y el sistema nervioso.

Por ejemplo: si a un hipnotizado se le dice que está en el Polo Norte, no sólo parecerá tener frío sino que su cuerpo va a reaccionar como si tuviera frío, va a temblar, se le va a erizar la piel. El mismo fenómeno se ha demostrado en estudiantes despiertos cuando se les pidió que se imaginaran que tenían una mano metida en agua helada. Sintieron frío a pesar de que el termómetro demostró que la temperatura de hecho aumentó en la mano tratada.

Nuestro sistema nervioso no puede diferenciar entre una experiencia imaginada y una real. En las dos reacciona automáticamente a la información que le da nuestra mente, o sea, a lo que pensamos o visualizamos que es verdad. Entonces actuamos, sentimos, no de acuerdo a como las cosas son de verdad, sino de conformidad con la imagen que la mente crea de cómo son las cosas.

Suponiendo que va caminando por el bosque en la tarde y de repente ve algo peludo que se mueve y piensa que es un oso; usted se paraliza, segrega adrenalina, su corazón se acelera, y a lo mejor es un perro peludo que andaba por ahí. Pero su imaginación provocó que todas esas reacciones se desencadenaran. Por lo tanto, si los ganadores olímpicos entrenan gran parte de su tiempo con visualizaciones... ¿Por qué no visualizarnos exitosos?

El darnos cuenta de que nuestras acciones, sentimientos y conducta son el resultado de nuestras propias imágenes creadas y de que nuestro sistema nervioso no puede distinguir entre una experiencia actual y una vívidamente imaginada, nos abre una puerta psicológica valiosísima.

Imaginémonos actuando, sintiendo y siendo lo que queremos ser. Si es vendedor, imagínese ganando el premio del mejor vendedor del año. Si va a solicitar un trabajo, imagínese dando la mejor entrevista y consiguiéndolo. Si va a competir en algo... plasme claramente en su mente que va a ganar. ¡Hay que creérsela! Porque como dice el dicho: asume una actitud... y terminarás con ella.

CAPÍTULO II

¿QUÉ COMUNICA SU PERSONA SIN HABLAR?

1. ¿Cómo venderse usted mismo?

¿Venderme a mí mismo? Claro, porque todos somos vendedores, desde que tenemos uso de razón hasta el fin de nuestros días. El niño que quiere convencer a su mamá que lo deje ver una hora más de televisión está vendiendo una idea.

La novia que quiere convencer a su novio de ver una película en lugar del futbol... eso es una venta. El adolescente que quiere sacarle el permiso al papá de llevarse el auto el sábado... también es venta. La mamá que habla de los beneficios del brócoli a sus hijos en realidad vende su idea.

Cuando alguien pide un aumento de sueldo a su jefe... es venta. El galán que al despedirse de la niña en la puerta la deja con el ritmo cardiaco acelerado... también es venta. Quien quiera que sea, haga lo que haga, se encuentre donde se encuentre, está constantemente vendiendo. Quizá no estemos conscientes de esto, pero es cierto.

Véndase a usted mismo

Según Joe Girard, récord en el *Guiness Book* como el vendedor número uno de autos en el mundo y quien vendió 1425 autos nuevos en un año, antes de vender a otros –sus ideas, sus productos o servicios– primero debe venderse a usted mismo. Debe creer en usted mismo, tenerse fe y confianza y la absoluta seguridad de que usted es alguien valiosísimo e irrepetible.

Debe reforzar lo anterior hasta que llegue al consciente e inconsciente de su mente.

Los cuatro pasos que él recomienda para venderse a usted mismo son:

1. *Nunca haga nada, en ningún lado, de lo cual se sienta después avergonzado.*
2. *No dude en darse una palmada en la espalda cada vez que se anote un logro personal.*
3. *Tenga una actitud tal hacia la vida de manera que estaría contento de tener un amigo como usted.*
4. *Trate a su cliente como si fuera la persona más importante del mundo.*

Véndase a otros

Nada se vende sin un comprador, ni usted. Así que póngase en los zapatos del comprador y pregúntese por un momento: ¿Alguien me compraría? Ya que siempre se está vendiendo de alguna manera, usted no quisiera ser "marca desconocida". La marca desconocida no se vende.

Para que se venda exitosamente debe presentarse en el mejor y más atractivo paquete. Está tratando de convencer a alguien de algo o de que vean las cosas como usted quiere. Para que esto suceda, primero tiene que gustarles. Piense en la envoltura y en el contenido. Nuestra imagen exterior debe reflejar las cualidades que queremos vender a los demás. Si la envoltura les provoca preocupación, puede decirle adiós a todo lo que venda. Así que vendámonos primero a nosotros mismos. Y recordemos: *no hay nada que atraiga más el éxito que la imagen del éxito.* Por lo tanto, *actuemos, vistámonos, pensemos como triunfadores.*

2. El arte de persuadir

Cualquier cosa que hemos hecho o hacemos es porque alguien nos persuadió a hacerlo. Suena tajante; sin embargo, es la realidad. Observe cómo las cosas que nos rodean están ahí porque algo o alguien nos persuadió a obtenerlo.

La habilidad de persuadir es la compleja red en donde el mundo se sostiene, ya que nuestro mundo entero se compone de la habilidad que tengamos para persuadir a los demás o de la habilidad que tengan ellos para persuadirnos. Vale la pena que aprendamos el juego de la persuasión. El objeto es inducir al otro jugador a que piense o actúe de la manera en que deseamos. En las investigaciones realizadas por los expertos se ha comprobado que para abrir o cerrar la mente de la persona, se cuenta con sólo dos minutos, en los cuales se estará evaluando lo siguiente: ¿cómo viste? ¿cómo habla? ¿qué dice? y ¿cómo escucha? En una conversación, el 85% de la información no se percibe verbalmente, así que antes de decir "Mucho gusto", evalúe qué está diciendo su ropa, su higiene, su apretón de manos, su forma de caminar y de expresarse, y sus gestos.

Primero que nada, para hacer receptiva a la persona que lo va a escuchar, tiene usted que crear un impacto favorable. En el libro vamos a ir viendo poco a poco cómo lograrlo.

Según el experto Roger Dawson, en su libro *Secretos del poder de la persuasión*, hay siete razones por las cuales podemos persuadir a los demás de hacer algo:

1. Podemos persuadir a los demás si piensan que podemos premiarlos. Esto es obvio: a un niño lo puede persuadir de comer espinacas si al final puede comer helado. En las campañas políticas, la promesa de obtener un beneficio nos persuade a votar o no por un partido.

Sólo que el ofrecer un premio a alguien es la forma más rápida de persuadir, también la más cara, y el valor de lo premiado se devalúa inmediatamente, ya que tenemos que estar constantemente aumentando el valor del premio para obtener el mismo resultado.

2. Podemos persuadir a los demás si piensan que podemos castigarlos. Esta razón es muy poderosa, ya que dispara el más primario de los instintos: el miedo. Muchas veces, por el temor a perder una cuenta importante, cedemos en muchas cosas. Y más rápido que la luz, nuestra mente empieza a crear toda clase de tragedias. Sin duda el miedo es el factor de persuasión más poderoso. También lo hemos visto en las campañas de algunos partidos. Si alguien nos pone una pistola en la cabeza, surge en nosotros un fuerte deseo de entregarle la cartera. Hay varios miedos más sutiles como el miedo al ridículo, que nos puede frenar a hacer mil cosas.

El miedo a la soledad puede provocar continuar una relación, aunque ya no haya amor y afecto entre los miembros de la pareja.

3. Aplicar el premio y la amenaza juntos. Los papás: "Si te vas a acostar en este momento, te leo un cuento." El vendedor: "El comprar esto le conviene muchísimo. Si lo compra ahora, lo va a tener primero que su competencia." "Si votas por nosotros, tendrás estabilidad. Si no, tal y tal" ...y aquí nos mandan mensajes como de que puede estallar una bomba en 15 segundos.

4. Podemos persuadir a los demás si hemos creado lazos. El crear lazos es un término que usan los psicólogos para describir el cambio que ocurre cuando una mamá toca a su bebé recién nacido. Entre más me acerco a una persona, más puedo influir en ella. Por eso las frecuentes visitas de los candidatos a los mercados y a las colonias, a tocar y saludar a la gente.

5. Podemos ser persuadidos si hay una situación de poder que limita nuestras opciones, es decir, cuando no nos queda de otra. Cuando por jerarquía, la persona tiene poder sobre nosotros.

6. Las personas podemos ser persuadidas si asumimos que el otro es experto en algo. Si nos convencen de que él o ella saben mucho más del tema que nosotros, es un enorme factor de influencia. Cuando empezó en su carrera, recuerde cómo se sentía frente a un reconocido experto en la materia. Los doctores y abogados proyectan este poder, usando un lenguaje que nadie entiende. ¿Por qué razón lo hacen? Porque si dan la impresión de poseer un conocimiento especializado, los demás se impresionan por ello y se dejan influir.

7. Podemos influir en los demás si somos congruentes. ¿Cuál es el factor más poderoso de todos? ¿Es él premio tangible? ¿Es el reconocimiento, o el miedo? Ninguno de ellos. Lo que más influye en persuadir a los demás es la consistencia.

Cuando se tienen valores de los cuales uno nunca se desviaría, se tiene un enorme efecto en los demás. Los otros medios de persuasión, aparentemente poderosos, no son permanentes, sino que pueden regresar como *boomerang*. El papá que siempre persuade al niño con premios, un día se da cuenta de que no será obedecido si no hay premio. Usted puede amenazar a alguien con despedirlo si no hace tal cosa, pero esto tampoco tiene un gran efecto, porque las personas se acostumbran a vivir con esa amenaza o encuentran cómo salirse de ella.

Sin embargo, el poder de la consistencia crece y crece. Y mientras más valores inquebrantables muestre su consistencia, más le va a creer la gente. De esa credibilidad surge una tremenda habilidad de persuasión.

A estos comentarios, Pedro Ferriz de Con agregó que el reconocimiento era otro factor poderosísimo de persuasión, con lo cual estoy totalmente de acuerdo. No hay nada que nos motive más a seguir con una conducta que nos reconozcan que estamos haciéndolo bien.

Así que no olvidemos reconocer en los otros los avances logrados. Si somos congruentes entre nuestro ser, lo que pensamos, la forma en que nos presentamos y actuamos, seguro llegaremos a ser unos expertos en este juego de la persuasión.

3. ¿Sabe usted decir "no"?

Quiero platicarle algo que seguramente a todos nos ha pasado. Cuando después de pasar una situación tensa, se dice a usted mismo: "Debí haberle dicho esto", …"¡No pude decirle que no!" "¿Por qué no le dije tal cosa?" "No me atreví." ¿Cuántas veces le ha pasado, que piensa esto lleno de coraje contra usted mismo? El asunto puede ser desde un pequeño favor hasta cosas de más importancia.

Cada vez que nos quedamos con esa frustración personal, "Debí haber hecho o dicho", se va degradando poco a poco nuestra confianza, como una roca que se va erosionando lentamente con la caída de una gota de agua. Además, cada vez que una persona reacciona pasivamente o se retira con una sensación de frustración, empieza a culpar a los otros de su infelicidad y va creando cuentas por cobrar.

La solución, por supuesto, no es ser agresivo ni contestar agresivamente a alguien, ya que cuando esto sucede se hiere a esa persona física o emocionalmente, lo que a la larga tiene consecuencias no favorables, y termina uno también sintiéndose igualmente frustrado y con mal sabor de boca.

La solución es aprender a ser asertivo. El ser asertivo es algo no espontáneo, no nacemos sabiéndolo, tenemos que aprender a serlo.

La palabra asertivo viene del latín *asertum*, que significa: "afirmar mis derechos positivamente con seguridad y sencillez, sin atacar ni huir." El ser asertivo significa:

- Expresar un desacuerdo con tranquilidad
- Atreverse a decir "no"
- Exigir un derecho con aplomo y decencia
- Hablar claramente sin rodeos y sin agredir
- En pocas palabras: asertar, atinar, tener tino.

Es muy común el no ser asertivo. El doctor Moriarty, con sus alumnos de psicología en Nueva York, hizo pruebas para ver lo asertiva que puede ser una persona. Provocó en los estudiantes pequeñas situaciones en donde sus derechos eran pisados, para observar su reacción.

Ponía a uno de ellos con música de rock pesado muy fuerte, mientras que otro cerca de él tenía que concentrarse en una importante y compleja tarea. El 80% de los que se tenían que concentrar no se quejaron, aunque luego admitieron lo molesto y agobiante que les era.

El 15% le pidió al del rock que le bajara, pero no se lo volvieron a solicitar después de que éste les contestó agresivamente. Sólo el 5% se lo pidió por segunda vez, logrando que le bajara al radio.

¿Por qué no nos atrevemos a expresar un derecho o un desacuerdo? Quizá porque no nos gusta pelearnos, porque nos da miedo el rechazo y nos damos miles de excusas mentales como: "No quise hacer grandes las cosas", o "Bueno, sólo lo ha hecho una vez", "Total, nunca lo voy a ver en mi vida" o "¿Para qué?" Estas excusas nos dejan una sensación de frustración que nos convierte en víctimas voluntarias.

Por ejemplo:

Lleva media hora haciendo cola para comprar boletos, llega un señor y se forma con toda tranquilidad adelante de usted. Ante esta situación tiene tres opciones: 1. Se queda callado con su coraje y no hace nada. 2. Indignado va y le reclama. 3. Asertivamente le dice: "Señor, todos llevamos media hora formados, creo que no es justo que usted se meta, le pido que por favor se vaya a la cola" y si no le hace caso, le puede poner un ultimátum asertivo: "Ya le pedí que se vaya para atrás; si no lo hace, voy a llamar a un policía para que lo haga."

Otro caso:

Un amigo siempre le pide que lo lleve en su auto a su casa, y una vez lo hace con mucho gusto, pero a él ya le acomodó y a usted le está empezando a enojar porque se tiene que desviar de su ruta y no sabe cómo decírselo, porque es su amigo y no quiere ofenderlo.

Tiene tres opciones: 1. Lo sigue llevando a su casa, 2. Se esconde para salir, o deja el auto en casa y se va a pie, o 3. Asertivamente le puede decir lo siguiente: "Te he dado muchos aventones y lo he hecho con mucho gusto, pero me hace llegar por lo menos 20 minutos más tarde a mi casa, lo cual no me gusta, así que te voy a pedir que de hoy en adelante por favor tomes un taxi."

Lo que tenemos que hacer es identificar lo que nos molesta, lo que sentimos, y decirlo sin rodeos y sin perder el objetivo. Los latinos somos muy dados a darle vueltas a las cosas y a hablar en diminutivo, para que se escuche más suave, y de esta manera las cosas acaban no siendo claras.

No es fácil aprender a ser asertivo; esta habilidad se va desarrollando mejor entre más la ponemos en práctica, pues es la única forma en que se hace un hábito.

Beneficios

1. La persona se vuelve protagonista de la vida, no espectador pasivo, esperando a que sucedan las cosas.

2. La autoestima y el autorrespeto se elevan. La persona se siente tranquila porque hay congruencia entre lo que se piensa y se hace.

3. Se siente libre al aprender a decir "no", y al decir "sí" estará convencido de lo que está haciendo.

4. Respeta el derecho que tienen las otras personas a ser asertivas y a decirle no a una petición.

Así que ...vale la pena ser asertivo.

4. ¿Qué es ser inteligente?... el IQ y el EQ

¿Se ha preguntado alguna vez por qué al más aplicado de la escuela no necesariamente es al que mejor le va en la vida? ¿Por qué algunas parejas se pelean y se separan, mientras que otras con los mismos problemas se mantienen unidas?

Esto se debe a que, en realidad, pensamos y tomamos nuestras decisiones basándonos en nuestras emociones más que en la lógica. Esto lo afirma Daniel Goleman, un psicólogo de Harvard y autor del discutido libro *Inteligencia emocional*.

Goleman cuestiona la veracidad de las pruebas de inteligencia que hasta ahora se han venido realizando. Las nuevas investigaciones sugieren que el IQ tradicional no es la verdadera medida del grado de inteligencia, y sostienen que ésta no es determinante para el éxito de una persona.

Lo más importante, dice Goleman, es el EQ, iniciales en inglés que significan "inteligencia emocional", la que realmente determina si una persona es o será exitosa en la vida. Dicho en otras palabras: con la emoción, la inteligencia no se puede usar adecuadamente.

Aprendemos mucho de los libros y de las computadoras; sin embargo, el aprendizaje más importante, la sabiduría del mundo, se adquiere a través de la sensibilidad de interpretar y entender a las personas, es decir, de tener inteligencia emocional, de controlar nuestros impulsos y nuestro temperamento, manteniéndonos tranquilos y optimistas cuando nos vemos enfrentados a situaciones difíciles.

Durante este siglo, los científicos se han dedicado a estudiar la mente y el cerebro, mientras que los complicados asuntos del corazón se los habían dejado a los poetas. La inteligencia emocional promete ser la gran revolución del milenio, ya que se ha comprobado que hacemos las cosas y tomamos las decisiones basados en nuestros sentimientos, aunque estemos convencidos racionalmente de lo contrario.

Para medir la capacidad de leer las emociones, Robert Rosenthal, psicólogo de Harvard, desarrolló una prueba, en la que se muestra a un grupo de personas una película silenciosa donde se ve a una mujer expresando diversos sentimientos, como coraje, amor, celos, gratitud, deseo, etcétera. Alguna vez su cara se ve, en otras ocasiones sus ojos se esconden. Después se pidió a los espectadores que identificaran estas emociones a través de señales muy sutiles.

Los adultos que calificaron mejor, los que leían las emociones más certeramente, eran también los más exitosos en sus trabajos y en sus relaciones. Los niños que tuvieron mayor puntaje eran los más populares en su escuela, a pesar de que su IQ era sólo promedio.

Para desarrollar esta habilidad y mejorar su capacidad de comunicarse, trate de poner en práctica estos efectivos métodos:

• *Estimule su memoria visual.* Todo lo que pasa por nuestra vista es registrado en nuestro cerebro, y si bien somos capaces de contar detalles que sucedieron hace años, se nos dificulta acordarnos de qué traía puesto un compañero de trabajo. La memoria visual desempeña un papel muy importante en nuestras relaciones y en la forma en que interpretemos los sentimientos. Cada vez que le presenten a alguien, anote mentalmente todos los detalles que observe en él. Cuando llegue a su casa trate de recordarlos, como un mero ejercicio, y de grabárselos en la memoria. Con el tiempo se le va a hacer un hábito, y automáticamente notará los cambios de actitud de los demás y podrá interpretar sus emociones.

• *Separe la imagen del sonido.* Vea de vez en cuando (si lo dejan) la televisión sin sonido, y trate de adivinar qué está sucediendo. Es muy frecuente que no pongamos atención a la gente que nos rodea: aunque la vemos no la observamos. De hecho, respondemos a lo que nos dicen, y no al lenguaje visual más sutil, que nos habla de sus emociones. Por ejemplo, una amiga afirma no estar afectada por su separación; sin embargo, lo triste de su mirada nos dice otra cosa.

Al bajar el sonido a la televisión, en un principio usted no va a saber qué es lo que está sucediendo, pero al cabo de un rato aflora la sensibilidad para detectar las señales más sutiles del lenguaje corporal de los gestos.

Sin darse cuenta se convertirá en una persona más sensible para leer las emociones y sentimientos de los demás, desarrollando su EQ.

5. El coraje

Alguna vez escuché a alguien decir que en este mundo hay tres clases de personas:

1. Las que *ven pasar la vida.*

2. Las que *planean.*

3. Las que *realizan.*

Todos sabemos que la vida es difícil, que encontramos piedras de todos tamaños, piedras como que la bolsa bajó, que el dólar subió, que no hay empleo. ¿Qué hacer? Vemos pasar la vida y nos derrotamos mentalmente, o nos llenamos la cabeza de planes para cuando la situación sea más favorable, o bien, nos ponemos a realizar cosas. ¿Qué se necesita para ser de los que alcanzan sus objetivos?

El ingrediente que se necesita se llama coraje. ¿Qué es el coraje? Es la combinación de orgullo, autoconfianza, convicción, fuerza de carácter y persistencia. Actualmente, necesitamos una buena dosis de coraje para sobrevivir.

Es muy fácil deprimirse, dejarse llevar por esa tendencia humana a pensar negativamente. Hay que caminar, ser creativos: si se nos cierra una puerta, hay que abrir otras.

En términos de coraje, las empresas tienen la estatura de los hombres que las dirigen. Ellos tienen coraje para tomar decisiones en tiempos como éstos.

Hay que tener coraje para cuestionar políticas y procedimientos, coraje para pedir asesoría cuando se necesita, coraje para quedarse cuando los otros se van.

La gente que tiene coraje arriesga todas las probabilidades de fracaso por una sola oportunidad de éxito, aunque no están libres de sentir miedo. Lo que separa a una persona con coraje de una que no lo tiene no es la falta de miedo, sino la voluntad para lidiar con ese miedo.

Quitémonos obstáculos en la mente. Pongamos a prueba nuestra capacidad para crear nuevas opciones, para ser realizadores y no ser de los que sólo planean o ven pasar la vida.

6. ¿Cuántos años en verdad tiene?

¿Sabía usted que su edad cronológica no es su verdadera edad?

Según los expertos, para saber cuál es su verdadera edad hay que considerar tres aspectos:

1. Primero, la edad que indica el calendario es la menos confiable. Una persona de cincuenta años puede ser tan saludable como una de veinticinco, mientras que otra persona de la misma edad puede tener el cuerpo y el aspecto de alguien mucho mayor.

2. Su edad biológica. ¿Cuántos años tiene según su apariencia? La medida biológica nos dice cómo están sus signos vitales, sus órganos y sus tejidos en comparación con su edad cronológica. Por ejemplo, un corredor de maratón puede tener las piernas, el corazón y los pulmones de alguien de la mitad de su edad, pero sus rodillas o sus riñones pueden estar envejecidos por la tensión. Cada quien se va transformando según el tipo de vida que lleva, ya que cuando se tienen 20 años y se desarrollan los músculos, casi todas las personas se ven igual; pero más adelante nuestro cuerpo se convierte en un espejo que refleja nuestra forma de vida. Por lo tanto, la edad biológica es, hasta cierto punto, controlable.

El factor más eficaz para retrasar el proceso de envejecimiento es el ejercicio. Practicado de manera regular, el ejercicio puede revertir varios de los efectos que provoca la edad biológica.

El ejercicio alivia la presión alta, remueve la grasita acumulada, mejora la tonicidad muscular, da histamina y una apariencia muy saludable. Así que el ciclo del tiempo –biológico– se puede mover rápida o lentamente, haciéndonos ver más jóvenes o más viejos, dependiendo de cómo tratemos a nuestro cuerpo.

3. Por último, la edad psicológica. Aunque es la más misteriosa y personal de las tres, es determinante, ya que se refiere a los años que sentimos tener; es la que más encierra la promesa de retrasar el proceso de envejecimiento. Cómo da gusto ver a esas personas jóvenes de espíritu que siendo congruentes con su edad, tienen una actitud hacia la vida de una persona de menor edad. Según estudios realizados, se ha comprobado que hay seis factores que aceleran el envejecimiento:

1. Disgusto por el trabajo.

2. Actitud negativa ante la vida.

3. Tener poco control sobre las emociones.

4. Vivir preocupado y no ocupado de las cosas.

5. Ser irritable.

6. Ser inestable económicamente.

Asimismo, hay seis factores positivos que retrasan el envejecimiento:

1. Vivir en armonía con la pareja.

2. Sentirse satisfecho en el trabajo y con uno mismo.

3. Tener la capacidad de reír fácilmente.

4. Hacer y conservar amigos.

5. Darse el tiempo de disfrutar de un pasatiempo.

6. Tener una visión optimista del futuro.

Si observa usted, las palabras armonía, disfrutar, satisfecho y optimista son factores importantes que retardan el envejecimiento.

Así que nuestra actitud frente a la vida (edad psicológica) va de la mano con nuestra apariencia (la edad biológica). Las crisis personales suceden cuando la mente está estática, cuando dejamos de planear, de disfrutar, de soñar, y nos convertimos en socios del "club de la lágrima perpetua". El cómo decidamos actuar frente a las circunstancias, y qué tanta voluntad tengamos para hacer ejercicio y cuidarnos, nos convierte en los únicos responsables de la edad que aparentamos.

Así que antes de responder rápidamente qué edad tiene, califíquese en cada uno de estos tres aspectos, súmelos y divídalos entre 3 y descubra cuál es su verdadera edad.

7. Efectos del enamoramiento

La mejor medicina que existe en el mercado no se vende en la farmacia, no se necesita dinero para comprarla, se tiene al alcance de la mano y mejora notablemente su calidad de vida. Esta medicina es el amor.

Es importante estar enamorado, y no sólo de otra persona, sino de su trabajo, de lo que se hace, de la vida misma. Porque cuando se está enamorado todo se ve y todo se enfoca de distinta manera.

Motivado por ese sentimiento, el cerebro produce, según los especialistas, sustancias químicas como la serotonina y la endorfina, que hacen que la persona recupere su autoestima y le dan una sensación de euforia. Se siente animado, alegre, vigoroso y sin necesidad de terapias o medicinas.

Esas sustancias (la serotonina y la endorfina) no provocan el enamoramiento, son la reacción química que produce. Se desconoce el porqué, pero esta respuesta bioquímica es muy similar a la del cuerpo al hacer ejercicio, aunque mejor.

En el aspecto biológico también se obtienen beneficios muy interesantes, ya que estando enamorado, la capacidad para combatir las infecciones también aumenta notablemente.

Esto fue comprobado por un equipo de investigadores de la Universidad de Harvard, quienes pasaron una película a un grupo de personas cuyo contenido era una profunda manifestación de amor. Conforme el auditorio la veía, unos medidores colocados en la boca de cada persona marcaban un significativo aumento de las defensas del organismo.

Este efecto se prolongó una o dos horas después de haber terminado la película. Las personas en las que el efecto se prolongó más tiempo tenían un fuerte sentido de amor en sus vidas, y fuertes valores familiares y de amistad.

Así que dejar entrar el amor a nuestras vidas es como abrir la puerta al sol en una casa en tinieblas. Da como resultado que se reduzcan las enfermedades infecciosas.

En lo físico, la persona enamorada luce más atractiva, la envuelve un misterioso "halo" de felicidad que se nota en el brillo de los ojos, en la frecuencia con que sonríe, en la forma segura de caminar, y en "un no sé qué" difícil de describir.

Entonces, estar enamorado provoca impresionantes cambios emotivos, biológicos y físicos. Por lo tanto, el amor es la mejor medicina que existe en el mercado para ser feliz.

8. El coqueteo y las reacciones del cuerpo

El coqueteo es esa maravillosa serie de reacciones que tenemos frente a alguien que nos atrae físicamente. A veces, son las más torpes de este mundo, provocadas por el mismo nerviosismo que la persona nos causa.

Pero nos vamos a referir sólo a las reacciones automáticas que tiene nuestro cuerpo en forma inconsciente cuando alguien nos es atractivo.

Es maravilloso observar cómo, cuando estamos frente a alguien que nos gusta, nuestro organismo desencadena cambios muy sutiles, y de repente nos transformamos, nos volvemos más atractivos. Nuestras reacciones se parecen un poco a las del pavoreal, que extiende su cola para atraer la atención de la pava.

Todo nuestro cuerpo se pone alerta, segregamos una buena dosis de adrenalina, que provoca que nuestros músculos se tensen. Por ejemplo, las arrugas en la cara tienden a desvanecerse, así como las bolsas de los ojos. (Parece increíble, pero los especialistas en kinesis lo han comprobado.)

La mirada cobra un brillo especial y las pupilas se nos dilatan. Se hizo una vez un experimento en Estados Unidos: se mostraban dos fotos iguales de la misma mujer, salvo una pequeña diferencia no perceptible a simple vista en una y era que tenía las pupilas dilatadas. Se preguntó a varias personas cuál de las dos se le hacía más atractiva, a lo que todos los encuestados respondieron, sin saber por qué, que era más atractiva la foto donde tenía las pupilas dilatadas.

La piel se colorea o se nos torna más pálida, y el labio inferior se hace más pronunciado.

¡Hasta la postura cambia! La persona que por lo general tiene una postura desgarbada, cuando se encuentra solo o con amigos y ve pasar una mujer que le gusta, de inmediato se endereza y contrae el vientre.

El olor del cuerpo se altera también, segregando más feromonas, que es lo que segregamos tanto los humanos como los animales para atraer a la pareja.

Los sentidos se agudizan, nos avispamos y nos sentimos llenos de vida.

Lo extraordinario de esto es que no nos percatamos conscientemente de todas estas transformaciones en nuestro cuerpo.

Además, hacemos gestos inconscientes. Por lo general, las mujeres jugamos un poco con el cabello, y el hombre se pasa la mano por el pelo, como peinándose frecuentemente.

Nos acomodamos repetidas veces algo de la ropa. Por ejemplo, los hombres se pueden restirar los calcetines, tocarse la corbata, y las mujeres acomodarse la blusa innecesariamente.

Asimismo, por lo general, ladeamos la cabeza, y tendemos a mostrar más las palmas de las manos. Una mujer que normalmente sostiene el cigarro con la palma hacia adentro, en esos momentos lo hace con la palma hacia afuera. Éste es quizás el más sutil de los gestos.

Durante el galanteo, las parejas se colocan frente a frente con el cuerpo abierto, es raro que crucen los brazos, o que giren el cuerpo hacia un lado. O se inclinan el uno hacia el otro, en algunas ocasiones extienden un brazo o una pierna, como para no dejar pasar a ningún intruso.

Algunas veces realizamos lo que se llama "roces sustitutos", por ejemplo, pasamos el dedo suavemente por la orilla de la copa, o dibujamos figuras imaginarias sobre el mantel, o nos acariciamos la muñeca o el brazo. Lo que estamos diciendo no verbalmente es: "Me gustaría acariciarte, pero como no puedo, acaricio esta copa", o cualquier objeto que tenga entre las manos. En ocasiones esto puede sugerir una invitación. Es muy divertido observar las reacciones que tenemos frente a alguien que nos es físicamente atractivo, pero no tanto como observarlas en los demás.

9. ¿Tímido?, ¿por qué? y ¿qué hacer?

Mucha gente tiende a jugar el juego de "Yo pienso... que usted piensa...", cuando somos tímidos, y sobre todo cuando tememos ser rechazados. Pero muchas veces suele suceder que al estar tan conscientes de "qué es lo que la gente va a pensar de mí", estamos autosaboteando nuestras oportunidades de crecimiento tanto personal como profesional.

El ser tímido puede ser simpático cuando se tienen dos años, pero no cuando se es adulto. Lo que llama la atención es que muchísima gente padece de este mal. En un mundo donde constantemente tenemos que enfrentar nuevas situaciones y retos, el ser tímido puede ser la roca en el camino que nos detenga a conseguir un mejor trabajo, a conocer gente nueva y a realizar nuestros sueños y fantasías.

Cuando un tímido va a una reunión social (a las cuales odia asistir) y tiene que enfrentar gente desconocida, las manos le sudan, se pone rojo, en ese momento es y se siente torpe; pero sobre todo, el sentimiento que lo embarga es de "estar solo". Desconoce que ese sentimiento no nada más es propio de un "tímido"; si supiera cuánta gente siente lo mismo, quizá no se sentiría tan paralizado por su propio miedo.

¿Qué hacer?

Mire, la única forma de superar la timidez es practicar no ser tímido hasta que deje de serlo en una forma natural. Así que cuando tenga que enfrentar una situación, le sugiero haga lo siguiente:

1. Respire hondo, detenga el aire y exhale diez veces.

2. Localice a una persona que se vea amable.

3. Haga contacto visual y sonría.

4. Preséntese usted mismo.

Si usted es una persona tímida, esto le va a sonar muy difícil, y probablemente se sienta raro la primera, la segunda y la tercera vez... Pero se sentirá feliz cuando haya descubierto el antídoto contra la timidez: "lanzarse sin miedo". Ya logró vencer estos primeros pasos... Ahora ¿qué dice? Muy sencillo, tiene que abrir con una buena frase.... Si está en una reunión, puede preguntar a alguien de dónde conoce al anfitrión, o puede empezar hablando del clima, o de algún deporte que esté en ese momento de moda, etcétera. Sólo asegúrese de que su frase de entrada sea positiva, nada que sea sarcástico, ni seductor. Comentarios sinceros y honestos son su mejor opción. Ejemplo: "Me siento un poco incómodo, pero me gustaría conocerle", "Qué bonito suéter", "¿Qué le pareció tal cosa?"

El tener una conversación agradable no es sólo cosa de química. Necesita practicar hasta que se sienta cómodo hablando con quien sea de lo que sea. *Descubrirá todo lo que se puede enriquecer de las otras personas. ¡Suerte!*

CAPÍTULO III

LOS SENTIDOS
¿QUÉ COMUNICAN?

1. El contacto físico

Una de las formas más importantes de comunicarnos, indispensable para el desarrollo integral del individuo, es el calor humano, el contacto físico.

El mundo de la tecnología ha entrado a nuestras casas disfrazado de Nintendo, computadora, Internet y no se diga de televisión.

La pantalla tiene una atracción hipnótica. Sin embargo, coloca una barrera entre la imagen y la persona, y la realidad es que entre más nos conectamos, menos nos comunicamos, ya que al no haber una relación física con las personas se toma una actitud pasiva, y esa pasividad desemboca en la ausencia de comunicación.

Según un estudio reciente, publicado en el *New York Times*, en las universidades americanas el número de clases impartidas por maestros en vivo ha disminuido en un 8% en 1994 y 20% en 1995, lo cual marca una clara tendencia a que siga incrementándose.

Más de la mitad de los campus residenciales tienen una conexión por alumno dentro de cada dormitorio, y estas universidades se sienten muy orgullosas por ello; pero lo que no habían planeado es que los dormitorios llegaran a convertirse en cuevas de alta tecnología.

La vida social de las universidades se ha transformado. ¡Los estudiantes ya no salen de sus cuartos! Un estudiante resuelve todos sus problemas, toma una clase, le pregunta dudas al maestro, consulta la biblioteca de la universidad, juega, platica y encarga pizza, todo sin levantarse de su silla. Los estudiantes ya no se reúnen en la cafetería ni en otros puntos donde solían hacerlo.

Este fenómeno que se presenta en los países del primer mundo lo podemos ver aquí: equivale a las horas frente a la televisión que nos pueden sustraer del mundo y hacer que vivamos los programas de tal manera que lloramos o suframos con los personajes, sin percatarnos de que nos estamos desvinculando de las personas reales, porque cuando apagamos la pantalla, trátese de computadora o televisor, nos damos cuenta de que estamos solos.

Esto nos hace reflexionar en que comunicarnos no es nada más pasarnos información, como dice el profesor chileno Enrique Cueto, sino que es tener algo en común. Es pasar de uno a otro, ejercer la capacidad real de darnos vida mutuamente. Que algo mío habite en ti y que, de alguna manera, tú me habites. Si al poner mi mano en tu hombro pasa algo a través de tu piel y te llega, yo te habito.

"Si el beso que le doy a mi hijo es sólo un saludo, entonces todo es mentira. Si ese beso le hace sentir que estoy con él, que le llega mi apoyo y mi compañía, entonces él tiene algo de mí."

El investigador Harlow realizó un experimento para probar que el contacto físico es un elemento indispensable para vivir. Encerró a tres monos cada uno en una jaula. Al primero le colocó sólo una mamila técnica para que comiera cada vez que tenía hambre. Al segundo, una enfermera le daba la mamila, y al tercero no lo separó de su madre.

El primer mono, a los cuatro meses, se estaba dejando morir, ya no acudía por el alimento. El segundo tenía retrasos en su desarrollo psicomotor y no había velocidad en sus respuestas, lo cual se traduciría más tarde en un carácter huraño y poco adaptable. El tercero, por supuesto, era un monito feliz y contento.

Cuando cargamos a un bebé y lo ponemos en nuestros brazos, ya creamos un lazo afectivo con él.

La madre Teresa afirmaba que la mejor medicina que podía dar a los leprosos era tocarlos.

Tengo una amiga que se fue a vivir a Estados Unidos, y después de estar un año fuera, cuando llegó, la abracé y le dejé la mano en la espalda. Cuando se la iba a quitar me dijo: "No me la quites, no sabes lo que extraño el calor humano que aquí nos damos. ¡Allá nadie se toca!". De repente nos sentimos alejados de nuestros amigos, nuestros familiares, porque no nos sabemos comunicar. Aunque haya cariño en las palabras, en la mirada o en una carta, son poco comparables con un buen abrazo. ¿No cree usted?

2. La proxemia

Alguna vez escuché hablar de la proxemia. La palabra me era totalmente ajena. Llegué a buscarla al diccionario y me encontré con que no estaba. Me puse a investigar y resultó ser algo muy interesante, ya que es algo cotidiano e influye en nuestra vida diaria en forma inconsciente.

La proxemia es la forma en que el hombre hace uso de su entorno para comunicar algo, la forma en que manejamos ese entorno para transmitir mensajes, con los espacios y los colores. Ello refleja la personalidad de cada quien. A continuación le presentaré un ejemplo.

En la época de Hitler se decía que para ir a verlo había que subir una enorme escalera, pasar por varios salones y vestíbulos y otra escalera, para llegar a un salón enorme con un gran escritorio al fondo. Además, por lo general, el dictador hacía esperar a la gente que lo iba a ver, para darse importancia. Su silla, además de ser enorme, estaba colocada más arriba de la del otro y tenía una enorme ventana de luz atrás que le daba una magnificencia estudiada, mientras que la silla del visitante era, a propósito, más pequeña. Entre el gran recorrido que tenía que hacer el visitante, más el tiempo de espera, cuando llegaba frente a él ya se sentía pequeño.

Simplemente, ¿cómo se siente cuando en un restaurante con cuatro personas le toca sentarse en una silla más chaparra que la de los demás? ¡Pésimo!

En un salón de clases, la tarima marca una diferencia. Si alguien se sube y toma un micrófono, ya le damos cierta autoridad. Todos estos detalles son precisamente lo que estudia la proxemia: el uso del espacio, su diseño y cómo nos afecta.

En política, la proxemia es muy importante. Cuando se firmó el tratado de Yalta entre Churchill, Stalin, Roosevelt y De Gaulle, tenían el problema de que el espacio de entrada era angosto y ninguno quería renunciar a ser el primero en entrar, ya que quien entrara al último perdía jerarquía. Además, ¿quién iba a aceptar aparecer en último lugar? Frente a ese dilema, lo que hicieron fue muy sencillo: decidieron tirar la pared para que los cuatro entraran juntos.

¿De qué sirve conocer el significado del uso del espacio o proxemia? Por ejemplo, cuando visita a alguien en su oficina, observe si lo recibe con un enorme escritorio de por medio. Quizá busca defensa o seguridad, o está marcando una diferencia de rango a la cual hay que saber responder con inteligencia.

¿Qué tan alto es su sillón? Si es un gran sillón, la mejor manera de ganar su simpatía es darle por su lado y hacerlo sentir como Napoleón. Hay quienes serían incapaces de negociar sin escritorio, ya que se sienten como si estuvieran desnudos.

Ahora, si la persona a la que vamos a ver nos recibe en una mesa redonda, está diciendo que es una persona sencilla, conciliadora, lo ve de igual a igual y que no está poniendo una distancia. Si lo invita a sentarse en un sillón sin una mesa o barrera de por medio, significa que es una persona práctica, que va al grano, abierta y sin complicaciones.

Cuando la cita para negociar algo es en nuestro territorio, el poder y la energía se triplican, simplemente porque estamos en nuestra zona. En el ámbito familiar, si voy a tener una plática con mi hijo, ésta tomará un giro diferente si la hago en su recámara, en la mía o en una zona neutral.

Todos estos pequeños detalles establecen la relación que se va a tener durante una entrevista. Conocer simplemente qué estudia la proxemia acaba siendo una gran herramienta en nuestra vida, ya que nos da muchos elementos para poder leer qué nos está transmitiendo el otro y qué estamos transmitiendo nosotros.

3. El espacio vital

El espacio vital es una burbuja que llevamos con nosotros constantemente y que representa nuestro territorio. Este espacio es sagrado y respetable, y en una cultura latina como la nuestra tiene un tamaño aproximado de un brazo de largo alrededor nuestro. Esto varía de acuerdo con las culturas. En la cultura anglosajona, por ejemplo, este espacio es más amplio.

Cuando alguien que no es pariente nuestro entra a este espacio nos sentimos amenazados e incómodos, así como nos sentimos rechazados cuando alguien se nos coloca muy lejos.

Cuando alguien está muy entusiasmado con lo que está contando, tiende a irse acercando (pero en el sentido de cercar), y uno se va haciendo para atrás y para atrás, hasta que topa con algún mueble o la pared. Esto es muy molesto y además ya no se pone atención a lo que el otro dice. Y lo que pasa es que la otra persona está tan concentrada en lo que está contando, que no percibe las señales no-verbales de rechazo. Para que una conversación mantenga su cómoda fluidez es necesario respetar este espacio mínimo, que varía según las personas con quienes estemos conversando y con la situación.

Por lo general, entre más diferencia en jerarquía hay entre los interlocutores, se hace más espacio entre ellos. Esta conducta es instintiva.

Cuando alguien no muy conocido se acerca demasiado puede ser muy agresivo, como sucede en las caricaturas cuando el grandote quiere mostrar quién domina y se acerca al chiquito, intimidándolo.

Cuando dos personas se paran una frente a otra con los pies ligeramente separados y reducen su espacio al conversar, digamos en un cocktail, están mandando el mensaje de que están sosteniendo una conversación privada.

Piense, por ejemplo, en lo incómodo que nos sentimos al subir a un elevador lleno de gente. Lo único que nos queda de espacio vital es voltear hacia arriba. Cuando el espacio físico es invadido forzosamente, como en las aglomeraciones en el metro, elevador o en la discoteque, la mente humana emite un espacio moral, donde nadie puede entrar, y los cuerpos de los vecinos se convierten, tan presentes físicamente, en inexistentes espiritualmente. Nos ignoramos unos a los otros.

Nuestro espacio vital también se extiende a nuestras pertenencias. ¿Cómo se sentiría si alguien que lo va a ver a su oficina empieza a jugar con sus plumas, o con los marcos de fotos que tiene sobre su escritorio? Eso no le gustaría a usted.

El problema del espacio vital se presenta también cuando tenemos que compartir una información escrita con algún compañero, jefe o cliente. En esos casos, es necesario tener copias para cada quien, ya que es muy incómodo compartir una lectura con alguien.

Cuando llegamos a un lugar marcamos nuestro espacio, nuestro territorio (como los animales), y lo hacemos de la forma más sutil: por ejemplo, poniendo nuestra taza de café, un saco, el portafolio, etcétera.

Asimismo, al ir a comer con alguien a un restaurante, implícitamente cada uno tiene "su territorio" en la mesa. Si usted se quiere divertir un rato, haga el siguiente experimento:

Siéntese frente a su compañero de mesa y saque su cajetilla de cigarros o su celular (desde luego que esto no se debe hacer, sino sólo para efectos del experimento) y colóquelo en la mesa sobre la zona que le correspondería a su compañero. Verá usted cómo él aparentemente no reacciona.

Después recorra paulatinamente su copa, sus platos y cubiertos hacia él.

Si le traen una botella de vino, cerveza o refresco, colóquela en su mitad. Además, incline el cuerpo al hablar hacia la otra persona.

Llegará el momento en que su compañero no pueda más. Observe su reacción, que será inconsciente; si la conversación está muy interesante, se inclinará para atrás, recorrerá su silla hacia atrás, y jalará los platos y cubiertos hacia él ¡manifestando lo incómodo que se siente!

Por eso es importante respetar el espacio vital, ya que afectan enormemente nuestras relaciones, tanto laborales como sociales.

4. El olfato y su influencia

¡Qué agradable es saludar a una persona que huele a limpio!

Al terminar nuestro baño de la mañana, no olvidemos aplicar una loción o perfume, ya que el impacto que podemos crear sobre los demás será más favorable. El olfato es uno de los cinco sentidos...por el cual recibimos y enviamos importantes mensajes para nuestras relaciones. De acuerdo con el aroma que una persona escoja se nos revelan datos de su personalidad, como:

Si el aroma es verde, muy fresco, se trata de alguien que gusta de estar en el exterior y que probablemente sea atlético, deportista.

Si el aroma es muy seco, con olor a maderas y a *musk* tanto en el hombre como en la mujer reflejará una persona sofisticada, calculadora, práctica.

Hay personas a las cuales las identificamos por el perfume o loción que usan, o al detectarlo en alguien más, nos la recuerda; esto es porque la memoria olfativa es muy aguda y no se borra. Cuando queremos recordar al ser amado, la mejor forma es a través de un objeto que huela a él. Cuando estaba de novio, ¿no le encantaba oler el reloj o el pañuelo de la novia?

También hay olores que nos recuerdan nuestra infancia, por ejemplo: el olor de las tortillas recién hechas al llegar del colegio, o el olor del pastel de chocolate le recuerda siempre a la abuelita que se lo hacía. El sentido del olor es muy privado cada quien tiene asociaciones muy diferentes.

Asimismo, por el aroma podemos saber la edad del que usa el perfume, y esto puede ser porque las personas mayores parecen tener un gusto distinto de las jóvenes, o porque se aferran al mismo perfume o loción, que han usado durante años. También en los perfumes hay cambios en la moda.

Los aromas pueden influir en el pensar, el sentir y en la forma de comportarnos.... ¡nos hacen soñar! Todos hemos experimentado esa sensación maravillosa que nos provoca oler un campo recién llovido, el aroma del café al molerse, o una flor "huele de noche".

Se han escrito varios libros sobre este efecto, uno de los cuales es *El perfume*, de Patrick Süskind; al leerlo, nos hace conscientes del poder que tienen los aromas en nosotros. Y el aroma de alguien puede ser un factor determinante para establecer una buena relación.

Muchas veces no lo sabemos conscientemente, porque nos subyuga alguien o porque lo rechazamos, y frecuentemente es por su olor. Desde luego que debemos perfumarnos sin exagerar; hay personas a las que se saluda y después de una semana nos sigue oliendo la mano a su aroma (es una exageración), pero esto puede ser agresivo para el otro, ya que no necesariamente el gusto por el aroma coincide.

Ahora que, como usted sabe, el aroma es un estímulo al hipotálamo, el cual está en comunicación con las glándulas sexuales, que producen las feromonas y provocan en los animales la atracción para el apareamiento. Sin el acoplamiento entre aroma y sexo, la Tierra sería un planeta desierto. El ser humano también segrega feromonas, que provocan esa atracción entre hombre y mujer. Casi todos los perfumes contienen ingredientes que mimetizan estas señales sexuales olfatorias, como el sándalo, el pachuli, *ylang* y el *musk*. Todos tenemos un olor específico, que cambia de acuerdo con nuestro estado físico y mental.

El olfato es un sentido, del cual se ha demostrado que tiene enorme influencia en nosotros, así que procure oler agradablemente todos los días. Le aseguro que se sentirá muy bien, y los demás se lo van a agradecer.

5. El poder de la voz

Ahora vamos a referirnos a una herramienta que todos usamos la mayor parte del día, y de cuya repercusión no estamos conscientes, ni del grado en que afecta la percepción que los demás tienen de nosotros.

La imagen vocal que proyecta una persona puede hacer una enorme diferencia en el éxito que obtenga en su vida profesional y personal. Muchas veces conocemos a alguien que al escuchar su voz literalmente nos hipnotiza.

En cambio hay personas de quienes algo nos incomoda, sin saber qué es, hasta que nos damos cuenta de que es su tono de voz o su forma de hablar.

Las investigaciones han demostrado que al conocer a una persona influye en nosotros 55% su imagen, 38% su tono e inflexión de voz, y sólo 7% atendemos al contenido de sus palabras.

Dado que la imagen vocal tiene una enorme influencia, vamos a ahondar un poco más en el tema.

Galeno, el filósofo griego, afirmaba: "La voz es el espejo del alma".

La voz es un importante termómetro de cómo se siente una persona. En un momento de tensión, podemos aparentar mucha seguridad, pero en la voz es difícil ocultar el nerviosismo.

La organización Gallup realizó un estudio acerca de la importancia de la voz, en el cual se preguntó a hombres y mujeres si creían que la forma en que hablaba una persona podía afectar sus oportunidades de trabajo e incluso su vida sentimental. La respuesta fue unánime a las dos preguntas: sí. También se les preguntó qué era lo que más les irritaba al escuchar a alguien. Los resultados fueron los siguientes:

1. Que una persona hable en tono bajo. Hay gente que siente que llama la atención al hablar en un tono bajo, y la verdad es que es muy irritante.
2. Que una persona hable muy fuerte. Con esto se quiere hacer notar, y por supuesto llama la atención, pero en una forma negativa.
3. Escuchar una voz monótona. Es un somnífero, no se percibe emoción, ni convicción, aunque a lo mejor la tenga.
4. Los estribillos que se usan indiscriminadamente como: este..., sí..., emm..., ¿no?

Los resultados de esta encuesta nos muestran que por lo general sí juzgamos a la gente por cómo habla.

Así que cuide el tono de voz, hable con inflexión, pero sobre todo, hable con convicción y contenido.

6. Los colores y su influencia

Todos nacemos con una preferencia natural hacia ciertos colores. Desde niños, cuando nos preguntaban: "¿De qué color quieres la crayola, o la paleta, o el vestido?", teníamos un color en la mente.

En 1930, Johanes Itten, de la escuela Bauhaus en Alemania, observó que cuando pedía a sus estudiantes que pintaran un cuadro y que usaran los colores que reflejaran su personalidad, había estudiantes que pintaban siempre en tonos de aire, es decir, azules, blancos, grises, rosas, etcétera. Y había otros estudiantes que se sentían más identificados con los colores de tierra, como el verde seco, el naranja, el café, los ocres dorados, etcétera.

Itten, en su observación, descubrió que el colorido físico del estudiante respondía muy bien a los colores con los cuales se identificaba, y que cuando los usaba en su ropa esto hacía que se viera atractivo.

Por eso considero importante que conozcamos cuáles son los colores que más nos favorecen, de acuerdo con nuestro tono de piel, ojos y cabello.

El color encierra más misterio del que suponemos, y se ha demostrado que rebasa la simple experiencia estética. Desde que abrimos los ojos al despertar estamos rodeados de colores y éstos influyen en nosotros. Los colores, al igual que el clima, nos afectan no sólo emocional sino físicamente.

En 1976, un noruego realizó un estudio que reveló que varias personas en un cuarto pintado totalmente de azul hicieron que el termostato del cuarto aumentara cuatro grados.

¿Cómo sentimos el color?

El color no sólo afecta la manera en que nos sentimos, sino que influye en nuestra forma de pensar, en nuestra percepción del tamaño y el peso, e incluso en cómo percibimos el tiempo.

Una científica de Estados Unidos trabajó con dos grupos de vendedores, a quienes se les había quitado el reloj, y se les pidió que se metieran a dos cuartos diferentes durante cierto tiempo.

El grupo que permaneció dentro de un cuarto verde pensó que había pasado menos tiempo del que realmente había transcurrido. En cambio, otro grupo que estuvo en un cuarto rojo sintió que había permanecido allí el doble de tiempo del que realmente había pasado.

En general, ante los colores cálidos, se siente que el tiempo se alarga, y ante los fríos que se hace más breve.

De hecho, el ojo del ser humano puede captar diez millones de colores que surgen solamente de tres colores primarios: amarillo, rojo y azul. Éstos, combinados entre sí, forman los colores secundarios, y si combinamos los secundarios surgen los terciarios, hasta formar lo que se conoce como el círculo cromático. Si se agrega blanco y negro a esta gama de colores se llegan a obtener los diez millones de tonos que el ojo del ser humano puede captar.

¿Con qué asociamos los colores?

El *azul*. El color del cielo y del océano se asocia con lealtad, sabiduría y espiritualidad. El azul es el color preferido de la mayoría de la gente. Es la antítesis del rojo. El azul reduce la presión cardiaca, el pulso, la temperatura, la actividad hormonal y la tensión muscular.

Cuando usted usa el azul marino da una apariencia confiable. Si va a una entrevista de trabajo o a una presentación, el azul marino hará que emane un sentimiento de autoridad. Por eso, la mayoría de las policías en el mundo visten en tonos de azul, así como la marina en Estados Unidos.

El *rojo*. Domina el espectro del color. Si es su favorito, es una persona muy dinámica, apasionada, que le gusta llamar la atención. El rojo, de hecho, eleva la temperatura del cuerpo, acelera nuestro ritmo cardiaco e incrementa la actividad hormonal. Psicológicamente, el rojo es excitante, alarmante. Por eso se usa en el semáforo para marcar el alto, porque ocasiona una respuesta de cuatro décimas de segundo más rápida que otros colores, por ejemplo, el verde.

El rojo es ideal para estimular las ideas; hace que nuestra atención salga de nosotros mismos y se dirija al mundo.

El rojo atrae a los hombres. Una mujer vestida de rojo es como una sirena en la calle.

En cuanto a la decoración, el rojo es mejor en acentos discretos.

El *rosa*. Es el color de la intuición y sus poderes son transformadores. Cuando las paredes de una prisión fueron pintadas de rosa chicle, se dice que los reos agresivos se calmaron rápidamente. Los amantes del rosa tienden a amar la vida, son tiernos y cariñosos.

El *naranja*. Estimula el apetito.

El *amarillo*. Hace que se segreguen jugos gástricos, además de que repele a los mosquitos; por eso estos colores los encontramos en los restaurantes de comida rápida.

En general, los tonos cálidos activan y estimulan y los colores fríos calman y relajan.

Es importante que el lugar donde pasamos la mayor parte de nuestro tiempo sea compatible con nuestra manera de ser, con nuestro colorido, no sólo para sentirnos bien, sino para ser más productivos y desarrollarnos mejor.

7. El lenguaje de los ojos

Existe algo verdaderamente apasionante que nos sirve a todos para poder conocer mejor a una persona, crear una buena empatía e incluso darnos cuenta de si alguien nos está diciendo la verdad o no.

Todo esto podemos verlo a través de los ojos, porque los ojos hablan, pero ¿cómo? Hablan a través de los movimientos que hacemos. Mientras platicamos o pensamos, estamos moviendo constantemente los ojos.

La neurofisiología ha comprobado que según hacia dónde miramos se activan diferentes partes del cerebro, donde se encuentran nuestros sentidos. Es como si los ojos fueran el cursor de una computadora, y al moverlos señalamos distintas direcciones de nuestro pensamiento.

Mirar hacia arriba

Hagamos un experimento. Piense cómo describiría a su maestra favorita de primaria.

La mirada hacia arriba y a la derecha indica creación de imágenes o sueños. Según hacia donde miremos se activan diferentes partes del cerebro.

Después de un momento fíjese hacia dónde movió los ojos. Estoy segura de que los movió hacia arriba y hacia la izquierda. Cuando miramos hacia arriba y a la izquierda, el cerebro está recordando imágenes.

Cuando miramos hacia arriba y a la derecha, el cerebro está creando imágenes o soñando.

Si usted realizara una entrevista de trabajo y le preguntara al candidato que tiene delante si tiene experiencia, y éste al responderle mirara hacia arriba y a la derecha, significaría que está mintiendo.

Sin embargo, un vendedor puede detectar que está cerca de cerrar la venta, si al hablar de su producto al cliente, él ve hacia arriba y a la derecha, porque está soñando.

Cuando vemos hacia arriba, ya sea a la derecha o a la izquierda, estamos entrando en el ámbito de las imágenes.

Mirar de manera horizontal

Cuando vemos fijamente de frente, estamos escuchando. En este nivel se activa el campo auditivo, y si movemos los ojos a la izquierda estamos recordando sonidos que ya conocemos, por ejemplo, la campana del recreo, una melodía, etcétera.

Pero si los movemos a la derecha, se trata de sonidos nuevos que estamos escuchando o creando. Seguramente le ha pasado que cuando está en una pista de baile y escucha el inicio de un ritmo o canción que no conoce, inmediatamente voltea los ojos a la derecha.

En ventas, si un cliente ve fijamente al vendedor significa que ya quedó impresionado, le está diciendo "véndame, le escucho". Si sus ojos lo evaden significa que no lo convenció, que no le vendió. Cuando un cliente no habla está interesado. Los ojos callados no hablan pero compran.

Mirar hacia abajo

Si nota que alguien está mirando abajo a la izquierda, es muy probable que esa persona esté teniendo un diálogo interior y esté reflexionando o considerando algo.

Cuando miramos hacia abajo y a la derecha estamos basándonos en las emociones.

Este diálogo frecuentemente se tiene antes de tomar una decisión crucial.

Cuando miramos hacia abajo y a la derecha estamos abriendo el canal de las emociones, los sentimientos y las sensaciones del cuerpo (sabores, olores, texturas) y emociones (amor, tristeza, preocupación).

En ventas, si el cliente ve hacia abajo y a la derecha, quiere decir que compra tocando, probando, buscando un contacto con cosas tangibles.

Bien dicen que los ojos son las ventanas del alma, y yo agregaría que del cerebro también.

Así, al conocer los patrones de movimiento de los ojos podremos traducir mejor la complejidad de nuestra comunicación no verbal, que al fin y al cabo es la única que no sabe mentir.

8. Una sonrisa cautivadora

Hay algo envidiable en algunas personas, la cima de la expresión humana, que hace a quien la posee una persona de quien los demás fácilmente se enamoran: una sonrisa cautivadora.

Mientras que algunas sonrisas son francas y contagiosas, hay otras coquetas o enigmáticas (como la de la Mona Lisa) o pueden ser irónicas, despectivas y sarcásticas, ya que, como decía Shakespeare, "se puede matar con una sonrisa".

La sonrisa es inaudible, pero existen varios tipos de sonrisa, y cada una revela un claro mensaje:

• Una sonrisa sin mostrar los dientes muestra autosuficiencia, un ligero placer, o que la persona se está sonriendo a sí misma, perdida en sus pensamientos.

• Una sonrisa que muestra los dientes superiores, acompañada de contacto visual, es de bienvenida, de "me da gusto verte".

• La sonrisa que sólo deja ver los dientes de abajo es rara, pero se asocia con una persona que envía señales de soledad, de que se siente inferior, o de que se le dificulta hacer contacto social.

• Cuando nos sonreímos de una manera amplia, bonita, mostramos las dos hileras de dientes y generalmente no hay contacto visual, excepto al final, cuando la sonrisa se acaba.

• Cuando una sonrisa es fría y falsa se nota inmediatamente, ya que quien sonríe parece estar como esperando pacientemente a que el fotógrafo dispare la cámara, y por lo general esta sonrisa va acompañada de una mirada inexpresiva.

Los chinos tienen un dicho: "Cuídate de aquel que no mueve los músculos del estómago cuando se ríe".

• Una supersonrisa es aquella que surge del corazón…, que cuando la vemos sentimos por instantes una probada de paraíso; de esas que valen un millón de dólares, por el placer y la alegría que las causan; es cuando arrugamos la nariz, achicamos los ojos o mostramos los dientes y las encías.

• He notado que las personas muy espirituales constantemente tienen un dejo de sonrisa en la cara y en los ojos. Éste no es un gesto bobalicón; al contrario, es de inteligencia e introspección.

La primera sonrisa la esbozamos a los nueve meses de nacidos, y es un gesto que hacemos naturalmente, porque aun los niños ciegos sonríen cuando se sienten contentos.

Conforme crecemos, sonreímos menos. Éste es el resultado quizá de madurar, o de envejecer, o de rodearnos de amigos fatalistas que sonríen poco, y fácilmente se nos contagia ese patrón de conducta.

El mexicano, en general, no sonríe frecuentemente, en especial los políticos. Yo creo que piensan que entre más serios están, más importantes se ven. Si supieran que la alegría es el gran secreto del líder… ya que contagia las ganas de vivir. ¿Sabe usted cuántos músculos movemos para sonreír? 38. ¿Y para hacer un gesto de enojo? 42. Entonces vamos a sonreír aunque sea por economía.

Alguna vez me comentó un señor que su carácter era muy serio, que en realidad no le nacía sonreír. Pero como se dice por ahí: "Más vale una sonrisa fingida que un mal encarado natural".

Beneficios

Además de que la sonrisa es el mejor regalo que podemos dar a alguien, es también un regalo para quien sonríe, ya que es como un perfume delicioso que no podemos rociar a los demás sin que nos toque a nosotros también.

• Yo lo reto a que piense en alguien que no le cae bien; ahora sonría al mismo tiempo... le aseguro que su disgusto se desvanece. La sonrisa quita los sentimientos negativos, como una toalla limpia una mancha.

• Una sonrisa es además la forma más económica de mejorar nuestra imagen.

• La sonrisa es el signo visible de que nuestra alma está abierta de par en par.

• Una sonrisa es la fuerza principal que nos detiene de convertirnos en malhumorados, molones y negativos.

• Si sonreímos, el único riesgo que corremos es... que nos regresen la sonrisa. La pregunta sería: ¿una sonrisa cautivadora es un don? ¿Se construye como una casa? Supongo que es una mezcla de las dos cosas, pero principalmente de la segunda.

Hay que construirla paciente y laboriosamente. ¿Con qué? Con equilibrio y paz interior, así como con un sincero amor por los demás. Sonría... cuando sonríe le está diciendo a la otra persona que está haciendo un esfuerzo por hacerla sentir mejor, ya que cuando sonríe transmite confianza, aceptación y estímulo.

No olvidemos que la gente no nos ama por lo que somos; nos ama por cómo la hacemos sentir.

9. Su escritura lo delata

Cada vez que escribimos nuestro nombre estamos registrando una imagen en tinta de nuestra personalidad.

La grafología es la ciencia que estudia el significado de las diferentes formas que escribe la gente, descubriendo así su carácter y personalidad. Incluso en Francia e Inglaterra aceptan el testimonio de grafólogos como legítima evidencia en la Corte.

Si pudiéramos comparar las distintas formas de firmar que hemos tenido desde que aprendimos a escribir con la firma estilizada que tenemos ahora, tendríamos un retrato escrito de los cambios que hemos pasado desde la niñez hasta el día de hoy. Por lo tanto, algo muy revelador es nuestra firma. En su libro *You can analyze handwriting*, Robert Holder nos revela cosas como:

Nuestra firma proyecta cómo nos gustaría ser vistos por los demás. Por ejemplo:

Cuando subraya su firma, denota una fuerte personalidad y sana autoestima.

Cuando la firma es más grande en proporción al cuerpo de la carta, habla de alguien que posee una personalidad dominante.

En cambio, si la firma es muy chiquita en proporción al cuerpo de la carta, es una persona reservada y encerrada en sí misma.

Una firma muy garigoleada denota a una persona dotada para vender sus ideas a los demás, y muy promotora.

Cuando la primera letra mayúscula es tres veces más grande que el resto de la firma, es una persona muy orgullosa de sí misma, un poco egoísta. Un punto o rayón firme al terminar ésta denota una persona acostumbrada a terminar lo que empieza.

Éstos son algunos rasgos en cuanto a la firma. En cuanto a la forma de escribir de cada quien, es tan personal como las huellas digitales.

Así que *no* hay dos personas que escriban igual, aunque quisieran. ¡Imagínese! Si no fuera así, todo el sistema bancario se colapsaría, ya que detalles como la presión, el tamaño, el estilo, la forma de las letras, el espacio, etcétera, varían en cada persona.

Nuestra escritura cambia con el estado de ánimo del momento. ¿Ha notado, por ejemplo, que cuando escribe una nota enojado, lo hace más rápidamente y con más presión? Los cruces de la tes los hacemos más largos que de costumbre, como lanzas... aunque los cambios no afectan los movimientos básicos para un análisis.

En la escritura se pueden ver, además de rasgos del carácter y la personalidad, toda clase de talentos y aptitudes, como: musicales, científicas, matemáticas y artísticas, pero sobre todo cómo nos encontramos en la escala de madurez.

Cuando en grafología se analizan los rasgos de la persona, no hay letra buena o mala...Lo que sí se ve es que entre más se aleja una letra de la forma sencilla que nos enseñaron en la escuela, más nos habla de la individualidad de la persona.

Por ejemplo:

El grado de madurez, según la grafología, se mide en la forma en que escribimos las m, n y s. Si éstas son muy redonditas y perfectas (que sería lo adecuado en un niño de 10 años) en una persona adulta denota cierta inmadurez, y cuando éstas se hacen angulares y con cierto estilo, son por lo general de una persona madura emocionalmente.

Las personas muy extrovertidas son muy expresivas en su escritura y tienden a escribir con las mayúsculas muy grandes.

Sin embargo, las personas introvertidas hacen una letra extremadamente pequeña y con mucha presión.

Cuando tienen una manera de ser muy positiva, escriben todo con letras muy grandes.

Cuando la escritura es fluida y pareja, habla de alguien que es feliz y tiene resueltos los aspectos más importantes de su vida.

Sin embargo, cuando la escritura carece de ritmo, los espacios totalmente disparejos, unas letras en un sentido y otras en otro, es una persona que no controla sus emociones.

Cuando al escribir un texto sobre un papel en blanco la persona es capaz de hacerlo en línea recta, sin necesidad de renglones, se trata de una persona muy tranquila, confiable.

En cambio si escribe como una ola y las tes las cruza de diferentes maneras, se trata de una persona distraída, poco fijada en los detalles y fácilmente influenciable.

Una persona que empieza las letras grandes y las va haciendo pequeñas denota no ser sincera.

La presión en nuestra escritura varía de acuerdo al subibaja de nuestras emociones.

Cuando es muy ligera, es de una persona sin dirección fija o bien está agotada o enferma. Cuando es mediana, tiene idea de la dirección y es medianamente exitosa. Si recarga mucho la pluma al escribir, se trata de una persona decidida, que sabe lo que quiere y probablemente muy exitosa.

Si los rasgos son marcados hacia abajo y con fuerza, es una persona difícil de convencer; sin embargo, si están hacia arriba, es una persona muy imaginativa.

Cuando los puntos se hacen en forma de círculo denota tener una disposición calmada y gusto por el diseño.

Como podemos ver, hay que fijarnos más en la forma de escribir de la gente que nos interesa ya que seguramente nos ayudará a conocer y entenderlas mejor.

10. El cuidado de la piel para el ejecutivo

A la mayoría de los hombres no les interesa hacer nada por su piel. Después de todo, todo el día están muy ocupados, no tienen tiempo y lo consideran un poco "femenino". Está bien, no haga nada por su piel, pero tampoco la dañe. Recuerde que cara sólo tenemos una. Veamos qué es lo que daña la piel:

• Cuando esté bajo estrés no se talle la cara con las manos. Además de que se lleva todas las bacterias innecesariamente a la cara, la piel se estira y con el tiempo se hace flácida.

• No se asolee sin un filtro por lo menos del 15, y siempre póngase un sombrero o cachucha. Si usted juega golf o tenis, antes de salir de su casa, aplique el protector. Ahora viene en una forma de aerosol no graso muy práctico. El daño que hace el sol a la piel es permanente y acumulativo.

• Cuando llegue cansado en la noche a su casa, dése un regaderazo, o lávese la cara con agua y jabón antes de sentarse a ver la televisión. Su piel se lo va a agradecer. Observe cómo está el cuello de la camisa por la noche, igual está la piel de la cara. Los poros de la piel se obstruyen con la grasita natural de la piel y la contaminación ambiental; si está limpia, no tendrá problemas.

Muchos hombres se irritan la piel al rasurarse. Existen ya varias cremas para rasurar y aceites que lo evitan, y cremas para después de afeitarse que suavizan la piel. Pregunte en cualquier tienda de perfumería. Es importante, en estos casos, dejar la crema de rasurar el tiempo suficiente para que reblandezca la barba, y cambie de navaja frecuentemente.

Si a usted le interesa cuidarse la piel, le voy a sugerir una forma muy práctica de hacerlo.

En general, para el cuidado de la piel necesita tres pasos: limpiar, tonificar e hidratar.

Si al salir de la regadera en las mañanas o después de rasurarse, usted siente la piel tirante y seca, cómprese un jabón especial para piel seca, que no contenga sosa cáustica, perfume o desodorante para que no le reseque más. Asegúrese de enguajar muy bien. Posteriormente aplique un tónico (seguro no sabe qué es y nunca lo ha usado). No se preocupe, en cualquier tienda de cosméticos le darán el adecuado para su piel. Restablece el ph de la piel, evitando que se descarapele, y devuelve la elasticidad. Prefiera los que no tienen fragancia, para que no se contrapongan con la loción que se va a poner después. Termine con un poco de humectante.

Las pieles secas tienen la ventaja de casi no tener problemas de granitos, pero la desventaja es que se arrugan más fácilmente al carecer de lubricantes naturales. Así que aplique un poco de crema ligera.

Si a usted, por el contrario, le brilla la cara a lo largo del día, necesita enfatizar la limpieza usando la brocha de rasurar que antiguamente se empleaba, pero con jabón para limpiar perfectamente los poros de la piel. Al terminar de rasurarse aplique una loción con alcohol por toda la parte rasurada, para cerrar el poro y controlar la grasita. En la noche vuelva a lavar la cara antes de acostarse.

Va usted a sentir la piel mejor y como ve, no es tan difícil cuidarla; es cuestión de integrar pequeñas cosas a la rutina de siempre.

CAPÍTULO IV

LA FUERZA DEL ESTILO
PROPIO

1. Estilo ¿qué es y cómo lograrlo?

¡QUÉ ESTILO TIENE ESE SEÑOR! Pensé esto al ver a un señor como de 45 años, bajándose de un taxi en un aeropuerto, para tomar un avión con su familia. No traía puesto nada espectacular: unos pantalones caqui, camisa de mezclilla muy sencilla y cinturón café trenzado. No era particularmente atractivo, pero tenía algo especial que hacía que destacara entre mucha gente. Me quedé observando. ¿Qué es lo que hace que una persona tenga estilo? ¿Qué es el estilo?

Estoy convencida de que tener estilo es una de las mejores características que una persona puede tener, ya que se puede ser feo o guapo, alto o chaparro, joven o maduro, pero si se tiene estilo, todo está bien. Pero creo que eso es lo más difícil de obtener. Nadie nace con estilo; es algo que vamos adquiriendo en la medida que vamos conociéndonos a nosotros mismos.

Si pensamos en artistas que han destacado, como *El Greco*, Dalí, o arquitectos como Barragán, Gaudi, Pei, y en escultores como Zúñiga o Sebastián, ¿qué tienen en común? Poseen un estilo único. Creo que la clave está en encontrar un estilo propio, diferente, que exprese nuestros sentimientos y pensamientos, nuestra personalidad. Esto lo manifestamos en una forma de vivir, de vestir, de actuar y de proyectarnos.

¿Qué se necesita para tener estilo?

• Se necesita tener gusto. Gusto para escoger lo mejor que nos queda, justo para combinar las prendas. Hay gente que nace con ese don natural, pero si no se siente muy seguro de tenerlo no se preocupe, lo vamos adquiriendo a través de la observación. Observe con ganas de aprender. Observe los programas de televisión estadounidenses: son programas que se proyectan a todo el mundo y tienen varios asesores de imagen. Cuando vea una persona muy bien vestida en la calle, observe: ¿qué es lo que hace que se vea bien vestida? Así como también cuando vea una persona mal vestida... obsérvela también, y aprenda de ella qué es lo que no se debe hacer.

• Ser selectivo. Al comprar una prenda, ésta debe reafirmar nuestra personalidad y debemos sentirnos de "diez" en ella. Así que sea muy selectivo y recuerde, cuando entre a una tienda, que sólo el 10% de la ropa es para usted. Pregúntese: ¿Me siento realmente muy bien con esto? ¿Me hace verme confiable, elegante? ¿Me favorece? Si es así... cómpreselo; si duda o le tiene que preguntar a otros si le queda bien, mejor no se lo lleve, se va a quedar colgado en el clóset.

• Vístase de manera apropiada. ¡Es muy importante! Apropiada de acuerdo con 4 cosas:

1. La edad: Esos señores de 40 años que se visten como adolescentes italianos, porque se sienten "forever young", verdaderamente se ven fuera de lugar.

2. La ocasión: Tener la sensibilidad de vestirse de acuerdo con la ocasión. No llegar demasiado elegante a una cita, como tampoco ¡llegar de traje beige a una boda de smoking! Sea usted el más elegante en una noche de gala y el más sport en un día de campo. Eso es tener sensibilidad y estilo.

3. La época del año: En invierno son más apropiados los trajes con chaleco, los casimires de lana, etcétera, y en verano, los trajes claros, las lanas ligeras, etcétera. No mezcle climas, como calcetín con guarache, shorts con calcetines, camisa de lino y pantalón de lana.

4. La hora del día: Durante el día se verá usted mal de traje negro; sin embargo, es muy apropiado para después de las 6 de la tarde.

Si en algún momento tiene duda de si usar algo o no, ¡no se lo ponga! Créame, siempre se le va a notar la duda, por lo tanto le afectará en su seguridad. Los "casi" no son recomendables.

• La calidad es el pilar del estilo; me atrevería a decir que no se puede tener estilo si no se tiene calidad. Sólo quien tiene mucho gusto para combinar las prendas puede prescindir de la calidad. Poco a poco vaya haciendo que su guardarropa vaya mejorando de calidad. Se va usted a sentir diferente, más seguro de sí mismo, se lo garantizo.

• Audacia para ser único. No tenga miedo a manifestar su personalidad. La gente que tiene estilo no copia a nadie, es impredecible, audaz. Por supuesto, teniendo en cuenta todo lo anterior.

• Evite lo exagerado, lo muy "mono", los coordinados de fábrica, los lentes de espejo, las camisetas con corbata pintada, los relojes de Mickey Mouse, etcétera.

• Vista como si siempre hubiera vestido bien. No dé la impresión de que es nuevo lo que trae puesto. Vista como si ya hubiera llegado a donde quiere llegar. Use la ropa como herramienta. ¡Preséntese como ganador y lo tratarán como ganador!

Vista lo mejor posible, usted lo merece. El vestir bien es el marco que presenta quiénes somos.

Quizá la gente a la que conozca nunca recuerde exactamente lo que usted traía puesto, pero sí recordarán la buena impresión que les causó. Eso es tener estilo.

2. ¿Qué tipo de hombre es usted?

El ecologista, el hombre de negocios o el clásico

El otro día, platicando con un buen amigo que es director y representante de una de las marcas de ropa para hombre más fuertes en la industria, me comentaba que existen dentro del mercado tres clasificaciones de hombres; me parecieron muy atinadas y divertidas sus observaciones, ya que comprobó que la mayoría de los hombres responden perfectamente bien a alguna de las tres. Descubra usted, querido lector, a cuál de las tres pertenece.

El ecologista o innovador

Le gusta ir a lugares originales, no los que están de moda, siempre sabe de este o aquel restaurantito, donde se come muy bien, que es atendido por la familia, etcétera.

El ecologista prefiere la ropa informal, su gusto es sencillo y generalmente convencional.

La ropa es parte de un estilo de vida donde destaca lo informal, lo cómodo, un poco el tipo universitario que viste jeans con playera y saco, aunque sea el presidente de la empresa. Le quedan las texturas mates, los *tweeds*, las panas, el lino y el algodón.

Es el tipo buena gente, amigo de todos, que siempre cae bien, que no es amenazante y es fácil de llevarse, es muy de su casa y su familia, es encantador y acogedor. Si se va de vacaciones, seguro escogería las montañas, o irse en camioneta con la familia a algún lugar del campo, sólo para ver quizás unas maravillosas cascadas; si se fuera a Francia, le gustaría hacer recorridos en bicicleta.

Eligen su ropa por un proceso de eliminación más que por otra razón, pero les gusta proyectar esa apariencia desaliñada, que aparentemente puede tomarse como descuido, pero que puede ser un arte lograrlo.

Los colores que más les gustan son los apegados a los colores de la naturaleza, como el café, verdes y azules.

Su pelo es por lo general ondulado y suelto, con apariencia casual, más que muy controlado, y siempre seco de apariencia. Es el tipo de hombre al que favorece el bigote o la barba.

Tienen un gusto sencillo y generalmente convencional. Su actitud en cuanto a la ropa es la siguiente:

Si sus pantalones están arrugados... total, nadie se da cuenta. Si su corbata no es la más adecuada para el traje... mala tarde, es la primera que tomó. Si el traje no está muy moderno... ¿qué tiene? Está perfecto.

Difícilmente comprarían un traje realizado por un alto diseñador italiano, prefieren algo menos sofisticado. Con lo que se ven mejor, además de ser lo que más les gusta, es con la ropa *sport*, tipo Gap. Prefieren las prendas un poco sueltas y desdeñan la ropa apretada.

En el fin de semana, generalmente usan las mismas prendas favoritas y cómodas de siempre. Son atractivos para las mujeres, ya que son el prototipo del "buen marido".

Les agrada todo lo diseñado por Philippe Starck, arquitecto de moda que utiliza materiales naturales y tiene un estilo posmodernista. Son muy conscientes de cuidar el medio ambiente, y apoyarían una tienda donde los empaques fueran reciclables.

Para realmente verse bien, la ropa debe ser una continuación de nuestra personalidad y debe reflejar nuestro espíritu. Si ésta es su personalidad, su espíritu es libre, disfruta mucho vivir los pequeños momentos mágicos de la vida, es muy probable que tenga muchos amigos, una familia feliz y se sienta muy contento de sí mismo.

¿Es usted un hombre de negocios?

El tipo "Wall Street" proyecta éxito con solo verlo, le gusta asistir a restaurantes de *éxito*, a todos los sitios de moda, así como vacacionar en los mejores lugares en la temporada adecuada. Por ejemplo, no falla para estar la última semana de Navidad en la playa de moda o la Semana Santa en Vail, el fin de semana a las orillas del lago de moda, así como también conoce cuáles son los mejores restaurantes de París y Nueva York.

Es un hombre que ama los retos, es inquieto, en constante actividad y con una enorme seguridad en sí mismo. En los negocios es un hombre de éxito, así como en cualquier profesión que escoja, por lo tan-

El hombre de negocios tiene un sentido innato del buen gusto y le da importancia a los accesorios.

to se viste para ganar, pero siempre con un sello individual. Lo veo entrando a Bellas Artes a un concierto de beneficencia, saludando a mucha gente. Tiene un innato sentido del buen gusto. Es atrevido para vestirse, sin salirse de los parámetros. Le gusta sentirse cómodo al trabajar, le desagrada lo que apriete, irrite o inhiba sus movimientos. Es un hombre que por naturaleza exige perfección en los demás, todo tiene que estar en el momento y resuelto. Por lo general, le gustan los deportes al aire libre, especialmente jugar tenis, golf, o esquiar en nieve. Es encantador con las mujeres, sabe cómo hacerlas sentirse importantes y femeninas. Es respetado y admirado por sus amigos y compañeros. En ropa *sport*, le gusta experimentar y usar estilos innovadores.

De los tres tipos de hombres es el que más importancia da a los accesorios, y probablemente es el que más pares de zapatos tiene. Se preocupa por traerlos muy bien lustrados, detalle al que muchos olvidan dar importancia.

Pertenecen a este estilo de hombre quienes trabajan en las casas de bolsa, banqueros y políticos destacados. Si usted resultó ser el hombre de negocios, lo felicito; ha de ser un hombre de empuje, optimista y productivo.

¿Es usted un hombre clásico?

Todos los hombres quizá tengan un poco de las tres personalidades, pero siempre hay un estilo predominante en cada hombre, y debe aprender a reconocer cuál es el suyo particularmente, para que, de esta manera, su ropa informal o formal se convierta en una continuación natural de su personalidad. Así, su ropa será la que más le quede y favorezca.

El hombre clásico es el diplomático, banquero, ejecutivo corporativo, que ha llegado a las ligas mayores, y todo lo que usa así lo manifiesta. Le gusta la buena vida y la disfruta porque siente que la merece, le gusta comer bien, pero no frecuenta los restaurantes de moda con regularidad, prefiere el lugar que ya conoce y donde lo conocen, donde por ser un cliente asiduo le dan un trato preferencial.

Asimismo, le gusta mucho vestir bien y destaca especialmente este aspecto, pero es un hombre de gran tradición. No le gusta ser innovador, prefiere ciertas tiendas en las cuales toda la vida ha comprado o mandado hacer sus camisas especiales, y a las que es fiel a menos que suceda algún percance. Conserva a su sastre de confianza, que ya lo conoce a la perfección, tanto en sus gustos como en sus medidas, las cuales no varían gran cosa, ya que hace ejercicio regularmente. A este sastre a lo mejor le manda hacer tres trajes exactos sólo cambiando el casimir, pero quizá hasta del mismo color. Es muy exigente en cuanto a materiales se trata; todo debe ser 100% materiales naturales, como algodón, lino, lana, seda, piel y gamuza.

Está muy pendiente de los pequeños detalles de calidad, como la caída del casimir, o si se arruga el pantalón al sentarse, que el saco no se vaya a arrugar cuando él descansa, que el nudo de la corbata está perfecto, etcétera. Le gusta comprar ciertos artículos de mucha calidad en el extranjero, no porque no los encuentre aquí, sino que también ya se acostumbró a esa pequeña tiendita en Londres donde encuentra… esto o aquello, pero algo que lo hace comprar ahí es que… también allá lo conocen de tiempo, o a su papá y quizá hasta a su abuelo.

No le gusta ser innovador para vacacionar; le gusta ir a los mismos hoteles de las grandes ciudades a los cuales ha llegado siempre. Eso sí… son magníficos hoteles de gran tradición. El auto perfecto para este tipo de hombre sería un Mercedes Benz. Tiene una fuerte personalidad, él lo sabe y lo usa a su favor, como algo innato.

Si usted se identifica con este tipo de personalidad… ya sabe, excelencia es su clave, y debe manifestarla y exigirla.

El hombre clásico es el diplomático, banquero, ejecutivo que es un triunfador y así lo manifiesta.

3. Las cuatro reglas de la elegancia que no cuestan nada

Cuando vamos creciendo y ascendiendo en nuestras carreras profesionales hay ciertas cosas que nos intimidan al enfrentarnos a las llamadas "ligas mayores".

Una de ellas es que no siempre sabemos cómo ser elegantes para vestir. Tal vez tenemos recursos limitados; sin embargo, el saber las reglas del bien vestir nos permitirá hacerlo con estilo, aunque con economía y sencillez.

Le quiero platicar cuatro reglas básicas para verse elegante... y esto funciona tanto para hombres como para mujeres.

1. No usar más de tres colores lisos a la vez. Cuando nos vestimos en colores lisos, es importante verificar que no sean más de tres. El ojo se detiene cada vez que encuentra un color, y si son más de tres, su figura se fragmenta. En una tela estampada es diferente, ya que el estampado está profesionalmente diseñado y depende del diseñador que la prenda esté balanceada. *Esto, si se fija, no cuesta nada.*

2. Repetir siempre un color. Este detalle es el secreto para verse bien vestido. Fíjese cómo el simple hecho de que a un señor se le asome media pulgada del blanco de la camisa en la manga, lo hace verse mucho mejor vestido que si no se asoma. Por el efecto visual de repetir un color, la corbata en el hombre es un perfecto accesorio. Hace que el hombre se vea muy bien vestido.

Por poner un ejemplo muy sencillo: traje azul marino, camisa blanca de rayita azul, corbata en oro y azul, o pantalón caqui, *blazer* azul marino, camisa, y corbata que tenga alguno o todos los colores juntos... tampoco cuesta nada.

3. No más de siete materiales. Cuando usamos más de siete materiales al vestirnos, sucede como cuando entramos a una casa y de inmediato la percibimos recargada ... como que le sobra algo.

Cuando nos vestimos hay que contar la piel del zapato, la textura del calcetín, el casimir del pantalón, la camisa, el saco, corbata o accesorios, y éstos no deben de pasar de siete. Cuidar esto tampoco es caro.

4. No usar más de tres accesorios. Si en la mujer es importante no pasarse de tres accesorios, ¡imagínese en el hombre! El exceso es siempre un error; debemos cuidar de no abusar de los accesorios y usar máximo tres, por ejemplo: mancuernas, anillo de casado y reloj.

La diferencia entre moda y la elegancia

¡Cómo poder describirla!

"La elegancia es difícil de describir, sin embargo es muy fácil de reconocer" (Jaqueline de Ribes).

La moda es obvia y pasajera… la elegancia es callada y eterna. La moda la compras… la elegancia la aprendes.

La elegancia no es resultado de poder económico, o de usar trajes costosos o llamativos, sino una actitud, callada, natural… tranquila.

4. No hay nada que hable más de usted que su cabello

Ésta es una frase que le escuché a un maestro de imagen que tuve en la ciudad de San Francisco, y me impactó mucho. Y cada vez más compruebo la razón que tiene.

El cabello es sencillamente la característica más importante con la cual podemos transmitir confianza, ya que si está mal cortado, descuidado o anticuado puede arruinar el efecto total de la persona.

Ya pasó la época en que íbamos a la peluquería o salón de la esquina a cortarnos el pelo como fuera, o al último grito de la moda, sin tener en cuenta nuestra forma de cara, tipo de cabello, estilo de vida, actividad, etcétera.

Podemos saber si un estilista es profesional, si se toma el tiempo de preguntarnos estos datos y sobre todo qué es lo que buscamos y queremos. Niéguese a que le corten el pelo por primera vez, sin que antes le hayan revisado su forma de cara y haya aclarado esos puntos. Además, el peinado nos permite saber la edad de la persona, pues hay quienes se quedan estacionados en las décadas de 1960, 1970 o en 1980.

Hay personas que no han cambiado su forma de peinarse desde que salieron de la preparatoria, ya que muchas veces creen que eso las hace verse jóvenes y, la verdad, sucede lo contrario.

Por ejemplo, hay un peinado "de fuentecita" que puso de moda Jimmy Connors el tenista, hace veinte años, y todavía hay muchos hombres que lo usan. Con ello se hace obvio que pertenecieron a esa generación. También hay señoras de cuarenta años con el pelo largo tipo Morticia, que se usó en la década de 1960, y a esa edad lo que menos nos ayuda es tener líneas descendentes como marco de la cara. Lo que tenemos que hacer es cambiar y buscar un corte que nos favorezca.

Si su cara es ancha, evite el volumen a los lados, si su cara es larga, evite cortes de pelo con volumen en la parte superior de la cabeza.

Una cara alargada necesita volumen a los lados, puede ser en forma de patilla si es hombre y usar bigote para crear una línea horizontal. Para no enfatizar lo largo, deben tener cuidado de no crear volumen en la parte superior.

Una cara ancha, ya sea redonda o muy cuadrada, pide quitarle volumen a los lados; no le favorece el bigote, y no se corte el pelo en forma redonda, ya que destacará más su redondez, por eso debe crear un poco de altura arriba.

Cuando la persona tiene mucho cabello, debe tener el cuidado de ir a la peluquería cada tres semanas por lo menos. Una recomendación para los que tienen poco cabello: deje de preocuparse tanto, acéptese como es, ya que el hombre con poco pelo también tiene su atractivo.

Por favor no use postizos ni tupés; la verdad es que a nadie engaña y vive siendo esclavo de algo que no vale la pena, ni tampoco se haga peinados "de queso Oaxaca"; el único que cree que se le tapa la calvita es usted. Sea realista…

En cuanto a la pintura del pelo hay que partir de la base de que la naturaleza no se equivoca, el tono de pelo natural es el que nos queda. Podemos acentuar ligeramente un tono, pero no cambiarlo radicalmente, porque lo más seguro es que se le vea muy mal. En cuanto a los hombres que deciden teñirse las canas, lo cual es perfectamente aceptable, háganlo en una forma paulatina, y de un tono más bajo que el suyo propio, para que no se le note de golpe. Y permítame decirle que un hombre con canas es muy atractivo. No olvidemos la frase de *"nada habla más de usted que su cabello"*.

5. ¿Qué es tener clase?

"¡Qué clase tiene!" Usted seguramente ha pensado esto sobre alguien o lo ha escuchado y pocos comentarios son tan halagadores como éste, ya que para que esto se dé, se requiere que la persona reúna muchas características.

¿Qué es tener clase? Clase es esa... "misteriosa cualidad" que poseen algunas personas que las hace tan especiales, que la mayoría admiramos y aspiramos poseer. No es fácil identificar exactamente lo que hace que una persona tenga clase, ya que esto se debe a que no es una sola cosa, sino la reunión de varios factores que identificaremos posteriormente.

El tener clase no es algo elitista como se podría pensar, ni tiene nada que ver con la condición económica, el apellido, ni la posición social. Sin embargo, definitivamente tiene que ver con la integridad, la inteligencia, la discreción y la prudencia, sin omitir otro factor importante que es la educación.

En términos generales se podría decir que consta de cuatro elementos:

1. Lo que una persona dice
2. La forma de decirlo
3. Su aspecto o imagen
4. Su comportamiento

En los pequeños detalles de la vida, es cuando se manifiesta la clase, y ya que es más fácil describir lo que es no tener clase veremos algunos elementos:

Reírse a carcajadas con la boca abierta, sonarse en la mesa sobre todo si se hace con un pañuelo ya usado, no pagar una deuda, gritarle o hablarle de mal modo a la gente que nos sirve, no agradecer un favor que se recibió, vestirse ostentosamente y con mucha joyería, rascarse los dientes en público, hablar fuertemente para llamar la atención, sorber la sopa al comer, salir diario en los eventos sociales del periódico, llamarle "mi reina, gordis, mi chula" a cualquier persona que se nos acerque, meterse a obras sociales como pretexto para codearse con gente de clase, traer el pelo pintado de rubio platino o rojo muñeca, usar tacones de aguja, hablarle de "tú" al mesero, traer las uñas moradas y largas, expresarse todo el tiempo con groserías, usar camisas Versace, traer Rolex de oro, llamarle la atención a alguien frente a los demás, tener un Corvette amarillo, llegar siempre tarde a las citas, usar todos los cinturones, anteojos y bolsas que anuncian la marca, utilizar ropa de poliéster, tener 40 años y arreglarse como si se tuviera 18, tener 20 kilos de más, ser chismoso o hablar mal de otros, hacer una larga distancia en casa ajena, subir de puesto pisando los dedos de los demás, decir el precio de lo que le costaron las cosas, usar accesorios grandes, maquillarse mucho, escarbarse la nariz, usar tatuajes o un smoking color menta, limpiar los cubiertos antes de comer, traer el pelo sucio.

Muchas cosas más podrían hacer esta lista más extensa. Ahora veremos lo que es *tener clase* y compartiré con ustedes diversas opiniones y puntos de vista que me aportaron algunas personas sobre el tema:

"Una persona con clase...posee seguridad, mas no arrogancia, orgullo pero no altivez, simpatía mas no simpleza, es aquel que tiene un profundo y discreto sentido de nobleza."

"Es el arte de ser honesto con uno mismo, bajo todas las circunstancias y con toda la gente."

"La clase surge del interior, de una consideración por los derechos y talentos de los demás."

"Es tratar de igual manera a una dama, a un alto ejecutivo, a un mesero o a una persona que pide limosna."

"Es tener consideración por los demás y buenos modales, que después de todo es lo mismo."

"Es vestir siempre de acuerdo con la edad, hora del día, clima y ocasión."

"Tener clase es cuando no se preocupa uno por tenerla, es algo que no se encuentra en el camino...es el resultado de caminar."

"Es la forma de lidiar un problema, con aplomo y dignidad, sin importar su gravedad."

En pocas palabras, la clase no depende de un nivel económico, de apellidos de alcurnia, de una camisa de marca, ni de un coche ostentoso, sino es el resultado de una riqueza interna que se proyecta al exterior inevitablemente.

Haga una lista mental de la gente que para usted tiene clase... observe sus cualidades y analice si usted las tiene, o bien propóngase fomentarlas en usted mismo, para lograr así ser una persona más agradable para los demás.

LA ROPA

CAPÍTULO V

UNA IMAGEN EJECUTIVA
DE PRIMER NIVEL

1. Cómo vestir de acuerdo con sus proporciones

Hay quienes tienen la suerte de decir: "Tengo cuerpo de pobre, porque todo me queda"; sin embargo, cuando va de compras es frecuente que al probarse las prendas, las tallas supuestamente "normales" para usted no le queden, ya sea porque las mangas están largas, y los pantalones muy cortos o muy largos. Podemos llegar a pensar que el "comprador promedio" es producto sólo de la imaginación del fabricante (al menos así nos hacen sentir).

Cuando vaya de compras es importante tener en cuenta las proporciones de su cuerpo. Una vez que las conozca puede hacer que el corte, el estilo y la talla trabajen para que el cuerpo se vea balanceado.

El cuerpo lo podríamos dividir a lo largo en dos partes: de la cintura para arriba, que sería el torso, y de la cintura para abajo, que por supuesto son las piernas. Me atrevería a decir por experiencia propia que la mitad de la gente tiene el talle más largo en proporción con las piernas, y la otra mitad, las piernas más largas que el talle. O sea que llevamos la altura en distinta parte del cuerpo; usted puede ser una persona muy alta y, sin embargo, tener un talle muy

La proporción del talle en relación a las piernas define si usted tiene talle corto o largo.

corto, o puede ser bajito y tener un talle muy largo. La clave para que se vea armonizado y bien vestido está en el balance visual de las proporciones.

¿Cómo saber si es usted de talle corto o largo?

Pida a alguien que le mida con una cinta métrica desde la cabeza al doblez de la pierna y del mismo punto hacia el suelo.

Si la parte superior mide menos que la inferior, es usted una persona de talle corto. Si es al revés, es de talle largo.

¿Qué le favorece al talle corto?

Le favorecen:

En sacos... los sacos de corte italiano que se cierran con dos botones abajo.

Las *chamarras* largas, no las cortas a la cintura, ya que éstas destacan lo corto. Asimismo, las prendas que se llevan *por fuera*, que no marcan la cintura, como los chalecos, los suéteres delgados, playeras desfajadas, etcétera.

Si la camisa debe ir fajada, una vez que ya esté metida hay que estirar los brazos hacia arriba para permitir que la tela se salga unos 2 cm y caiga sobre el cinturón, alargando así visualmente 2 cm el talle.

La *corbata* es una prenda que favorece mucho a dĨtas personas, ya que le da verticalidad al talle, dándole más altura.

Los *pantalones* hay que usarlos un poco caídos sobre la cadera, no exactamente en la cintura; los jeans le favorecen ya que están cortados abajo de la cintura.

Los *cinturones* deben ser máximo de dos dedos de ancho y de hebilla muy discreta.

¿Qué le favorece al talle largo?

El talle largo es más favorecedor cuando al vestir no se exagera su línea. A estas personas les favorecen:

- Sacos rectos de dos y tres botones; si es cruzado, que los botones sean en medio del tórax no abajo.
- Chamarras o suéteres cortos a la cintura.
- Camisas bien fajadas.
- Playeras de raya horizontal.
- Pantalones abrochados en la cintura.

Entre más conozcamos el "qué nos queda y por qué nos queda", estaremos acercándonos a lograr un estilo individual y nos veremos siempre mejor presentados, lo cual nos hará sentirnos más seguros de nosotros mismos.

2. El traje. Su selección y su corte

Dele una revisadita a sus trajes. ¿Cuántos están en buen estado, que le queden bien y que no se vean anticuados? El traje es, sencillamente, la prenda más importante del hombre. Es una inversión en usted mismo, en su credibilidad. Usted es su mejor negocio.

Cuando estamos hablando con una persona, ¿qué es lo que le vemos? Además de la cara, observamos la parte superior del cuerpo, y aunque la camisa y la corbata son importantes, la prenda que más nos habla del usuario es el traje.

El traje nos indica su estatus, su personalidad, su carácter, su sofisticamiento y hasta el puesto que ocupa dentro de la empresa. El traje ha sido siempre un símbolo que asociamos con poder y autoridad. Tendemos a confiar, a respetar y a obedecer más a una persona que trae un traje puesto, que a otra que no lo trae. En Estados Unidos se hizo un experimento para probar esto. Se situó a un señor perfectamente bien vestido de traje, en el cruce peatonal de la calle, y antes de que el letrero de avance se prendiera, cruzó la calle decididamente y la mayoría de la gente lo siguió.

Al día siguiente, se colocó el mismo señor en la misma esquina y efectuó el mismo movimiento, pero ahora vestido de jeans y camisa. Nadie lo siguió.

¿Cómo comprar un traje?

Lo primero que le recomendaría es que cuando vaya a comprarse un traje no vaya en pants y tenis, sino con su mejor traje, corbata y camisa, primero por aquello de que como te ven te tratan, y después para que el traje que se va a probar... le luzca.

Aunque el precio no es lo que distingue necesariamente al traje, al comprar uno hay tres cosas que considerar:

1. *Que la talla sea la adecuada*. No importa qué tan maravillosa sea la marca o el material, si el traje no le queda perfectamente, éste se va a ver de la mitad del precio que pagó.

• Primero pruébese el saco y véaselo en un espejo de tres lados. Con el saco abrochado, verifique que no se le hagan arrugas. Si en la espalda se le hacen arrugas horizontales, es que le queda chico, y si se le hacen arrugas verticales es que le queda grande. Todos tendemos a comprarnos la talla de hace unos años.

• El largo del saco debe llegar a la primera falange del dedo pulgar, o sea, tapando la cadera.

• El largo de la manga debe quedar 1.1/2 cm arriba del puño de la camisa.

• Si le quedó bien el saco, entonces pruébese el pantalón, pero cuando le vayan a tomar la medida de la bastilla, póngaselo a la altura de la cintura donde siempre lo usa (que no sea muy bajo, porque se le notaría más el abdomen) y verifique que las pinzas caigan bien en su lugar.

• El largo del pantalón debe quedar haciendo un quiebre sobre el zapato, quedando más corto de adelante y más largo de atrás. Pero si tiene valenciana, la bastilla es recta.

• Aunque el traje le haya quedado muy bien al comprarlo, si le llena las bolsas con el celular, las llaves, la cartera, plumas, agenda, etcétera, hasta el mejor traje se deforma.

Abrochado el traje, las solapas deben caer suavemente sobre el pecho, no se debe ver jalado ningún botón, y le debe permitir doblar y estirar hacia arriba los brazos cómodamente. Las pinzas de los pantalones deben caer suavemente sin forzarse, así como las bolsas laterales.

2. El material. El mejor material por supuesto es 100% pura lana virgen, si sólo dice lana es que ya ha pasado por varios procesos y es de menos calidad. Verifique que el forro esté cocido y no fusionado (pegado), para que le dure más tiempo. Quizá pague un poco más al comprarlo, pero vale la pena, porque la duración es mucho mayor ya que no le saldrán burbujas en el frente con el calor de la plancha, que ya nunca desaparecen.

3. El color. Es el ingrediente más poderoso del traje. Es sencillamente la razón por la cual un hombre se ve profesional o no.

Colores oscuros

Los tonos de azul marino y gris carbón transmiten autoridad y respeto, y son la mejor opción para la junta importante, la cita con el banquero o con el cliente. Sin embargo, el negro, siendo muy elegante, llega a ser tan severo que sólo hay que usarlo después de las 5 de la tarde, ya que es de media ceremonia.

Colores medianos

Como el verde militar, el azul medio, el tono camello, en general lo hacen verse más abordable, y se pueden usar cuando se tienen juntas con miembros de su equipo, o cuando se busca lograr una atmósfera más casual y amistosa.

Colores claros

El gris muy claro o el beige sólo se ven bien en plena época de calor, o en una ciudad de clima caliente. Pero si va a visitar a "esa persona importante de la que hablamos", no los use. Aunque haya 40 grados de calor, hay que ponerse un traje oscuro.

Y en cuanto al color café, para terminar, es importante hacer una petición a todos los hombres, especialmente a los que trabajan en el campo financiero, en la política, en las ventas o en el mundo de los negocios: ¡tiren, vendan o rifen sus trajes café! Es el color que tiene menos presencia, autoridad y credibilidad. Además no va nada con el color de tez del latino. Por último, no olvide que cuando compra un traje: *la calidad perdura... y el precio se olvida.*

La elección del corte de su traje

Cuando un hombre va a comprarse un traje, son tantas las alternativas en formas, colores, texturas, que no se sabe muy bien por dónde empezar. ¿Cuántas veces acuden a la tienda determinados a comprar algo diferente y acaban siempre con el mismo tipo de trajes, porque no se sienten muy seguros de si les quedan o no los nuevos estilos? En las tiendas puede encontrar en realidad variaciones de los cuatro tipos básicos de trajes, que son: *el corte inglés, el italiano, el corte europeo y el americano.*

El corte inglés

Este corte en general sigue la línea del cuerpo, sin exagerar ninguna área en los hombros o en la cintura. Su línea es un poco rígida por sus muchas capas de entretela, cuenta con tres botones, la solapa es moderada, y tiene dos aberturas en la parte de atrás (las cuales son favorecedoras para quienes son un poco anchos de cadera), las bolsas laterales están cortadas un poco en diagonal, y los muy tradicionales tienen una tercera bolsa.

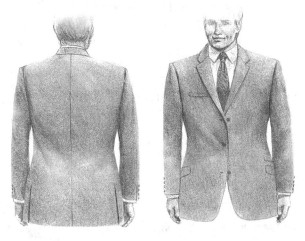

El corté inglés cuenta con dos aberturas atrás, sigue la línea del cuerpo.

El corte italiano

En 1980, este traje revolucionó lo tradicional. Los italianos deciden ensanchar los hombros al estilo de 1930, y hacer su construcción más ligera para darle más comodidad: se alargan los sacos y los pantalones, dándoles más volumen, y las bolsas se esconden (lo cual es más favorecedor para los que tienen un poco de volumen en la cadera).

Por lo general, son trajes cruzados de dos o seis botones que se encuentran bajos para dar la impresión de que la parte de arriba es más larga que la de abajo. Carecen de abertura por atrás y sus sola-

El corte italiano por lo general es cruzado de dos o seis botones.

pas son más anchas, lo cual requiere siempre de una corbata más ancha. Este estilo es muy favorecedor en las personas de estatura promedio a altas.

El corte europeo

Este traje sigue la línea del italiano, pero es menos exagerado en sus líneas y muy elegante; las hombreras son un poco más discretas y es un poco marcado en la cintura. Este traje es ideal para el hombre que quiere modernizarse un poco sin exagerar. Por lo general es cruza-

El corte europeo es ideal para el hombre moderno pero sin exagerar.

do de seis botones y se abotona sólo el de en medio para destacar la cintura. Esta silueta es muy favorecedora, especialmente para los de estatura promedio a baja. Hay el modelo de traje abierto y éste tiene una abertura en el centro, y los pantalones tienen menos volumen.

El corte americano

Este estilo sigue mucho la tendencia del estilo americano, de buscar la comodidad antes que el estilo. Casi no lleva hombreras, el look es un poco como una caja, es más corto que el europeo, las solapas son tamaño mediano, y son redondeadas las orillas para darle un aspecto menos formal. Las bolsas siempre van por fuera y tiene una abertura por detrás.

El corte americano busca la comodidad antes que el estilo.

3. La camisa

La camisa es uno de los detalles que al vestir influye más en la presentación de un hombre.

Ésta debe estar impecable, perfectamente bien planchada y limpia para que nos ayude a transmitir ese efecto de credibilidad. Hay varios detalles que son muy importantes.

La talla

Al comprar la camisa, la comodidad es lo más importante. Sin embargo, no le debe quedar tan holgada que le arruine la línea del traje, pero tampoco que se vea como si la trajera pintada con aerosol. El largo de la manga debe asomarse 1/2 pulgada de puño fuera del saco. En cuanto al cuello, es imperdonable un hombre con el cuello de la camisa arrugado.

Un error muy común en los hombres es seguir usando el mismo cuello que cuando iban a la universidad; por lo general con la edad, se sube de peso y el cuello tiende a ensancharse. Hay señores que se preguntan por qué todos los días terminan con dolor de cabeza o tienen vista borrosa. Verifique la talla de su cuello. ¿Es usted de los que, en cuanto puede, se desabrocha el cuello de la camisa y se afloja la corbata? Corrobore también su talla. La medida se toma debajo de la manzana de Adán, y lo ideal es que le quepa un dedo entre la piel del cuello y el de la camisa. Por supuesto, la solución no es, como lo he visto en algunos casos, desabrocharse el cuello y cerrárselo con el nudo de la corbata.

Tipos de cuellos y puños

El cuello y los puños marcan el grado de formalidad de una camisa. Como regla general, entre más tieso sea un cuello, es más formal. El tipo del cuello debe estar de acuerdo con la forma de la cara. En el mercado existen varios tipos de cuellos, pero los más usuales son cuatro:

• El tipo francés, que tiene una separación regular entre los picos, que en general le va a todo mundo.

En el mercado hay diversas clases de cuellos: el francés con separación regular entre los picos, el Windsor con los picos muy separados, el cuello con poca separación y picos largos, y el cuello de botones.

- El cuello Windsor, con los picos muy separados, que favorecen a las personas de cara alargada.
- El cuello con poca separación y picos largos, mejor para balancear una cara ancha.
- El cuello de botones, que es menos formal y sólo se debe acompañar con una combinación de *blazer* y pantalón, nunca con un traje completo.

Si se tiene cara ancha y redonda, evite los cuellos muy separados y las corbatas de nudos anchos. Si tiene cara alargada, evite los cuellos de poca separación y los largos. Si se tiene la cara angulosa, absténgase por completo de los cuellos redondos. Ya no se usan los yugos de metal. Los puños de mancuernas son lo más elegante que hay; yo sugeriría tener siempre un par en su guardarropa, para situaciones formales o para el día de la junta importante. Entre más bolsas tiene una camisa, menos formal es.

El material

Por supuesto, entre más fibra natural contenga, es mejor por la cuestión de la transpiración. Aunque la mayor parte se fabrica de algodón, hay algunas combinaciones con un poco de poliéster (80/20) que las hacen menos arrugables y siguen siendo cómodas. Por favor, nunca compre una camisa 100% de poliéster. Además de morirse de calor, el olor del sudor se acentúa.

Los estampados

Las camisas lisas han sido por tradición las más formales, pero ahora puede ser igualmente formal una con raya muy fina. Lo que sí habrá que observar es, por ejemplo, que una camisa de raya a lápiz es más formal que una de raya de caramelo, una de cuadritos pequeños es más formal que una de cuadros grandes. También son muy elegantes las que tienen los puños y cuellos blancos sobre un cuerpo de color.

El color

La camisa blanca seguirá siendo la formal por excelencia, hace verse a un hombre muy distinguido y le da formalidad instantánea, así que es bueno tener siempre una limpia en el cajón de la oficina. La que le sigue al blanco en formalidad sería la azul clara durante el día, mas no es apropiada para la noche. En la noche no hay como la camisa blanca. Se están usando mucho las camisas de colores, y están bien; nada más no las use muy oscuras, ya que las camisas oscuras tienen una connotación gangsteril, así que hay que evitarlas.

Por favor evite usar esas camisas que ostentan ser hechas por un camisero y muestren una raya de color sobre el cuello y otra sobre el puño. Se ven de nuevo rico total.

Hay hombres que se rehúsan a regalar su camisa favorita porque les da buena suerte. Pero hay que ver si la camisa no lo está ya saboteando. *"Descuidarse en el vestir... es suicidio moral:" Honorato de Balzac.*

Iniciales grabadas ... ¿De mal o de buen gusto?

Los monogramas pueden ser un toque de distinción, buen gusto y clase, pero pueden ser ostentosos, pretensiosos, de mal gusto y exagerados. He visto hombres que verdaderamente parece que no se acuerdan de cómo se llaman, pues traen monogramas en la camisa, en el cinturón, en la pluma, en la esclava, en el portafolio y hasta en la cartera.

Los monogramas tienen su inicio en el siglo pasado, en Inglaterra, donde la gente de la nobleza mandaba confeccionar especialmente su guardarropa, y se les bordaba las iniciales del usuario, lo cual distinguía lo mandado a hacer de lo comprado. Posteriormente esto fue adoptado por las clases altas y se fue extendiendo por Europa como signo de distinción.

Para que sea signo de distinción, las iniciales tienen que ser discretas y usadas en un lugar discreto. En la camisa, que es la prenda que más se acostumbra mandar grabar, es donde más comúnmente se ven las iniciales bordadas, pero el lugar en donde se encuentren puede denotar su buen o mal gusto.

Me ha tocado ver iniciales bordadas en los puños de la camisa, lo cual me parece verdaderamente de narcotraficante. Aunque usted no lo crea, he llegado a ver los monogramas bordados en el ¡cuello de la camisa! Eso sí con certeza es una proyección de egolatría absoluta, además de demostrar una inseguridad total. Pero ahora vamos a ver cómo pueden los monogramas verse de buen gusto.

En primer lugar, deben estar bordados en el mismo tono de la camisa: si la camisa es blanca, las iniciales deben ser bordadas en hilo blanco; si la camisa es azul clara, en hilo azul claro, etcétera. El mejor lugar, y esto es una apreciación personal, es unos 10 cm arriba del cinturón del lado izquierdo; es un lugar discreto, así como en la

El nudo de corbata clásico, es de una vuelta y con un pliegue que sale del nudo.

bolsa de la camisa, pero nada más. El tipo de letras que se deben usar son pequeñas, sencillas, elegantes y discretas. No utilice letras grandes y elaboradas, ni trate de copiar el monograma familiar, si éste es complicado, aunque sea de mucho abolengo.

En cuanto a las iniciales grabadas en su portafolio, maletas, cartera, etcétera, si usted insiste en tenerlas, lo único que le aconsejo es grabarlas sin ningún color, que sólo queden en bajorrelieve, pero *jamás* doradas por favor, eso es querer demostrar una exclusividad y símbolo de estatus, actitud que tiene efectos contraproducentes.

Sólo una cosa se me hace peor que ostentar las iniciales propias, y es ostentar las iniciales del fabricante. ¿Se ha dado cuenta de lo que quieren lograr? Desean que el consumidor se identifique con el ideal del modelo de la marca, pero la verdad es que lo que refleja es totalmente lo contrario. Una camisa de excelente calidad habla por sí sola, y no necesita traer la marca por fuera.

4. La corbata: su firma

¿Sabían ustedes que a través de la corbata se puede saber mucho de una persona? Una corbata es la firma de cada hombre que la usa.

Para algunos, la corbata es un accesorio incómodo e inútil; para otros es símbolo de elegancia, disciplina o solemnidad, pero tarde o temprano termina siendo un complemento indispensable.

La corbata es la única prenda en la cual se le permite una forma de coquetería y de expresión personal al hombre que quiere vestir con elegancia. Por lo tanto, es una pieza del vestuario que nos transmite mucha información del que la usa y de los que no la usan.

Los que no la usan

Por supuesto, me refiero a las ocasiones formales. Casi siempre podemos hablar de personas libres de espíritu, que les gusta romper las reglas, a quienes éstas les tienen sin cuidado. En ese caso estarían los artistas, los bohemios, los periodistas, los que tienen ideas revolucionarias, los líderes sindicales, etcétera.

Los que sí la usan

Los jóvenes traen corbatas de colores y diseños vanguardistas.

Los hombres mayores, por lo general, tienen el mismo repertorio de corbatas de hace cinco o diez años. Esto puede verse en el estampado y en el ancho de estas prendas, que hablan del tiempo que tienen habitando en su guardarropa. Lo mismo sucede con el nudo.

El nudo de la corbata que se está usando ahora es triangular ancho, de una vuelta y con una "sonrisa" que le da cuerpo a la corbata para que no quede tan plana.

La calidad de la corbata nos puede decir si se trata de una persona de altos mandos, mandos medios o subordinados.

Por la textura sabemos mucho de sus gustos. Por el estampado sabemos mucho de su sofisticamiento. Las corbatas lisas reflejan

La manga de la camisa debe sobresalir del traje unos 2.5 cm, La solapa determina el ancho de la corbata.

falta de sofisticamiento, son seguras pero aburridas y reflejan de alguna manera las mismas características en su usuario.

Vale la pena arriesgarse un poco, sin llegar a la exageración, ya que ésta refleja a una gente que se quiere hacer notar a como dé lugar.

Los colores reflejan algo del carácter de quien usa la corbata, que pueden ser terrosos y discretos, o chillantes y llamativos.

Por medio de la corbata se puede también intuir a qué tipo de actividad se dedica un hombre. Por ejemplo, si está en el área creativa, si es diseñador, fotógrafo, publicista. (¿Se ha fijado en sus corbatas?) Son más originales, extravagantes y vanguardistas si las comparamos con las de quienes trabajan en el área financiera, casas de bolsa, abogados corporativos; éstas son por lo general tipo Hermes, modernas pero conservadoras y, en general, diferentes de las de los médicos, abogados, litigantes, ingenieros o vendedores de seguros, que son casi siempre conservadoras.

Las de los políticos, que ahora ya le están dando más importancia a su imagen, en materia de corbatas siguen sin salirse de los parámetros convencionales.

Para saber qué tan cuidadosa es una persona de los detalles, hay que fijarnos en dos cosas: el largo y la limpieza de la corbata, y si el nudo está derecho. Tradicionalmente, el largo se usa exactamente debajo del cinturón.

Puede pensar que exagero, pero la próxima vez que se entreviste con alguien, escuche sus pensamientos y obsérvele la corbata.

5. ¿Esto combina?

Todos los días sucede lo mismo en todas partes del mundo. El hombre saca la camisa que se va a poner ese día, y contemplándola con una corbata en la mano pregunta: ¿esto va? Lo más probable es que si está dudando...no combine. El hombre bien vestido casi siempre sabe muy bien cómo combinarse. Pero la realidad es que la gran mayoría de los hombres siente esa inquietud en las mañanas y al no saberse combinar con seguridad, recurre a la infalible combinación de usar todo liso: camisa blanca lisa, corbata de algún color liso y traje liso. Pero la verdad, esto es muy poco sofisticado, está pasado de moda y no es elegante.

La forma en que un hombre combine su ropa dice mucho de su personalidad. Combinaciones atrevidas, hombre atrevido. Combinaciones conservadoras, hombre conservador. Combinaciones aburridas... bueno, ya captó la idea, ¿no? Antiguamente, las reglas para combinarse eran usar dos prendas lisas (por ejemplo: camisa y traje) con una corbata sofisticada. Ahora hay mucha más libertad para expresarse a través de la ropa que antes, y se está usando combinar dos estampados y un liso. Ahora que el hombre verdaderamente atrevido usa tres estampados jun-

Al combinar se pueden usar dos prendas estampadas y una lisa.

tos. No tenga miedo, ¡anímese! Una vez que usted comience y se atreva a realizar combinaciones, verá cómo día a día lo irá haciendo con más confianza y mejor. Le voy a explicar cómo:

• En lo primero que tiene que fijarse es que los colores sean compatibles. Por ejemplo, si su traje es azul marino con raya de gis, puede combinar una camisa de raya angosta roja y una corbata con dibujos de amibas que tenga algo de los dos colores que tienen su traje y camisa. Si repite uno de los colores en algún lado, seguro se le va a ver bien.

• Cuando combine tres estampados, lo más importante es cuidar que los mismos sean de distinta proporción y que tengan contraste de escala. Una corbata de estampado grande no se vería bien con una camisa de raya ancha. Escoja por ejemplo: una corbata a rayas gruesas, con una camisa de raya muy fina, y un traje de príncipe de Gales muy discreto. Totalmente moderno y dinámico, pero lleve unos calmantes para los amigos tradicionales, por si se ofrece. Y todavía el buen conocedor del vestir le puede agregar un pañuelo con dibujos de amibas. Todo esto está muy bien siempre y cuando se repitan los colores.

• Puede, sin embargo, combinar dos estampados que sean similares en escala; seleccione uno en colores fuertes, y otro en colores muy suaves y neutros.

• Entre más pequeño sea el estampado, más vestidora es la camisa. Se están usando mucho las camisas de cuadritos pequeños, aunque siempre serán menos formales que una lisa.

• El combinar los estampados todo dentro de una misma gama de color, digamos en azul marino el traje, la camisa en azul claro y corbata en tonos de azules, es una buena forma de empezar. Conforme se sienta más seguro vaya combinando distintos estampados en colores que combinen.

El incorporar prendas estampadas al guardarropa que ya tiene lo hará verse muy actualizado.

6. "Donde usted vive no se usa traje"

Usted puede vestir *sport* pero verse muy bien arreglado:

En general, prefiera las camisas o playeras en tonos neutros y discretos, como el verde botella, el blanco, el color vino, el azul marino, etcétera. Los tonos chillantes y muy llamativos son menos elegantes.

Por favor no compre los juegos prehechos de playera y short o pantalón; son como de viejito. Prefiera las prendas sueltas para que usted les ponga su sello individual al combinarlas. El gran atractivo de este tipo de ropa es que es impredecible. Si usted compra piezas clásicas, como playeras Polo en tonos lisos, *jeans*, suéteres de cuello "V", mocasines, un chaleco, pantalones de gabardina, calcetines de rombos y chamarra de ante... se verá bien vestido porque no se saldrá de los parámetros del buen gusto.

Evite estilos de detalles exagerados, como cuellos grandes, muchos botones, *zippers*, demasiadas bolsas (que no sirven para nada), cinturones con hebillas antibalas, estampados de su último viaje a *Sea World*, etcétera.

Evite usar camisas de cuadros grandes si es usted gordito, porque se convierten en rombos.

No combine pantalón de casimir o de gabardina con playera Polo. Este tipo de pantalones sólo se ve bien con camisa. Y si la ocasión es un bautizo, o una comida en sábado, acompáñelo de un blazer.

Por último, si usted va de convención o de trabajo a una playa por ejemplo, no se suba al avión viéndose como si ya nada más le faltara el patito para nadar. En viaje de trabajo, no tome nunca el avión de *shorts*, calzado de playa y playera ¡se ve fatal!

Si usted se quiere ver muy bien vestido en *sport*, siempre use una camisa de lino o de algodón de manga larga, con un pantalón de lino o de algodón y que sea en tonos neutros, y mocasines (sin calcetines si hace mucho calor). En los negocios, mientras más se ve la piel de una persona, más se reduce su credibilidad. Por eso es mejor siempre la manga larga, que en un momento dado puede doblarse, que presentarse de manga corta.

Sí se puede estar muy cómodo y verse bien vestido. Además, esto hace que anímicamente nos sintamos mejor.

Para estar elegante en los sitios calurosos, use camisa de lino o algodón de manga larga y blanca y, no de manga corta o playeras.

7. La ropa *sport*

Hay que diferenciar entre la ropa *sport* diseñada para hacer un deporte, y la ropa *sport* para observarlo, que no es lo mismo. Cuando se vaya a reunir con sus amigos o familiares a ver los partidos, no vaya vestido como si usted fuera a realizarlo o de *pants*. Prendas como los *pants* están hechas para ponérselos antes o después de practicar un deporte, pero no para ir de compras con la familia, ni salir el sábado a comer a un restaurante, menos para tomar un avión o asistir en sábado a un seminario. Los *pants* son ropa deportiva, es una prenda que no pretende ser vestidora. Existen en el mercado de tela brillante, como queriendo hacerlos más elegantes, pero no son bonitos, porque es pretender darle elegancia a una prenda que no está diseñada para ello ni aspira a serlo. Así que, de preferencia, que los *pants* sean de tela tradicional.

Los *pants*, después de las horas normales para hacer ejercicio (que es de 6:00 a.m. a 10 a.m.), son la pijama de la calle y se ven muy mal.

Estoy de acuerdo en que, después de una semana ardua de trabajo, le den ganas de vestirse muy a gusto en el fin de semana, para relajar cuerpo y mente. Aristóteles lo decía: "El fin del trabajo es ganarse el descanso", pero hay quienes, nada más porque ya se acabaron las horas de trabajo, usan las prendas más viejas, feas y pasadas de moda, que sacan del fondo del clóset, y se pasean por la casa viéndose como "alma en pena". Se dicen a sí mismos que están cómodos, pero......¿qué refleja su espíritu?...¡Y cómo se ven!

Si estamos bien vestidos, esto nos ayudará a sentirnos más seguros de nosotros mismos. Comparémoslo con dos automóviles. Cuando nos subimos en un Volkswagen despintado, con el asiento luido y con un motor que parece matraca de viejo, ¿cómo nos sentimos? Ahora, compare el sentimiento cuando paseamos en un Grand Marquis con asientos de piel y silencioso. ¿No se ve más bonita hasta la ciudad?

Lo mismo sucede con la ropa: cuando nos presentamos bien vestidos nos hace sentirnos mejor, nos comportamos de manera diferente.

8. Los cuarenta errores más comunes del vestir

Si no comete ninguno de los siguientes errores, lo felicito, es un hombre internacional, elegante y que sabe vestir. Si incurre en menos de cinco errores, está dentro de los bien vestidos. Si comete entre diez y quince, es bueno que considere darle un poco más atención a su arreglo. Si usted está entre veinte y treinta, está perdido, necesita con urgencia una asesoría sobre la importancia de la imagen.

1. Zapatos desgastados (y cree que nadie se fija).
2. Usar joyería, como cadenas, pulsera, anillo de escudo o reloj ostentoso (creyendo que así parece que le va muy bien).
3. Camisas 100% poliéster (porque no se arrugan).
4. Calcetín blanco, con traje o combinación (lo peor).
5. Mocasín con traje (no va).
6. Botas con traje (menos).
7. Pantalones cortos o apretados (porque ya subió de peso y no ha renovado su guardarropa).
8. Cinturón con hebillas grandes (a menos que usted sea ranchero o texano).
9. Cabello largo (queriéndose sentir muy joven).
10. Camisa más oscura que el traje (de gángster).

11. Desfajado (sólo que usted se dedique a pintar o a esculpir).

12. Corbata de poliéster (¡no, por favor!).

13. Fistol (muy anticuado).

14. Corbatas lisas (reflejan suburbanismo, poco sofisticamiento).

15. Traje abrillantado (vale la pena comprar otro).

16. Cargarse las bolsas de cosas (la mejor manera de deformar un traje).

17. Botones a punto de reventar (hay que bajar de peso o aumentar de talla).

18. Camisa de cuadros si es gordito (se convierten en rombos, no las use).

19. Sin cinturón (se ve muy desarreglado).

20. Camisa de manga corta, con traje (sin comentarios).

21. Usar barba en un ámbito financiero (pierde credibilidad, hay estudios que lo comprueban).

22. Cuello de la camisa arrugado (no se asombre que ese día nadie le crea nada, ni le compre nada).

23. Sacar pluma de plástico (a menos que sea con el logo de su empresa).

24. Comprar gangas (ahorro mal entendido).

25. Comprar de prisa (si no se da tiempo para sí mismo, quién se lo va a dar).

26. Rechaza cambiar (problema que viene con la edad).

27. Usar traje café (nunca para alguien que tenga, o aspire a tener, un alto puesto).

28. Ser víctima de la moda (tiene que ser millonario, y refleja narcisismo).

29. Mezclar prendas de calidad con prendas baratas (siempre va a opacar lo barato a lo caro, no lo haga).

30. Demasiado moderno (el que se viste para matar, mata pero las oportunidades).

31. Demasiado conservador (refleja cero dinamismo).

32. Usar la talla equivocada en camisa o en traje (véase objetivamente en el espejo).

33. Usar cuellos redondos con traje (es muy poco varonil).

34. Demasiadas iniciales grabadas o bordadas (parece que no se acuerda de su nombre).

35. Estar demasiado elegante para una situación normal (a los que más les da pena es a quienes están con usted).

36. Vestirse menos formalmente que los demás a propósito, porque piensa que es una forma democrática de mezclarse con la gente (eso es subestimar a los demás).

37. Usar más de tres colores al vestirse (de payaso).

38. Calcetines cortos y arrugados (¡no, por favor!).

39. Traer mal planchado el traje, o arrugado (arruina totalmente su imagen).

40. No sonríe (así esté usted lo mejor vestido posible, si no sonríe de nada le sirve).

9. El smoking, cómo y cuándo usarlo

La mayoría disfrutamos el vestirnos para una ocasión elegante, sacamos lo mejor que tenemos, tanto de ropa como de actitud. Hay algo de mágico cuando nos vestimos con lo mejor, cuidamos cada detalle, desde el peinado hasta los zapatos para proyectar lo mejor de nosotros mismos y, de hecho, la persona crea una especie de "halo" que la hace irradiar, brillar, sabiendo que se está vistiendo de forma "especial", en una ocasión en la que todos los demás se prepararon de la misma manera.

¡Qué importante es corresponder a una invitación formal, donde se especifica "etiqueta", en la cual el anfitrión se está esmerando en dar lo mejor que puede para halagar a los invitados, y nuestra forma de corresponder es ir de etiqueta!

No hay nada que al anfitrión le caiga más mal que una persona que "por flojera" no le haya dado la importancia necesaria a la ocasión y vaya con el mismo traje que traía desde la mañana. Verdaderamente es una grosería para la persona que se preocupó por ofrecer los mejores vinos, la mejor cena, o simplemente que considere que para ella es una ocasión especial, por la cual está dando la fiesta, ¿no cree usted?

¿Dónde surgió la moda del smoking?

A fines del siglo pasado, un señor de familia muy rica llamado Griswold Llorillard, que vivía en Tuxedo Park, cerca de Nueva York, y se dedicaba a la industria del tabaco, viajó a Inglaterra para participar en una cacería de zorras, donde se usan (hasta la fecha) las casacas rojas. Impresionado por la elegancia de las mismas, a su regreso se mandó hacer para él y para sus hijos esas mismas casacas pero en negro, con las solapas de seda, para el baile de blanco y negro, que se llevó a cabo en un exclusivo club de Nueva York. El día del evento él no se animó a usarla, pero sus hijos sí, y fueron la sensación de la fiesta. Estos muchachos, originarios de Tuxedo Park, eran de una de las familias más ricas de esa zona y tenían cierta influencia en su sociedad. Seguramente ya cansados de los trajes de cola que hasta entonces se usaban para las ocasiones formales, impusieron esta moda rápidamente, que de ahí en adelante se bautizó con el nombre de Tuxedo.

En 1920, el duque de Windsor se mandó hacer un tuxedo ligeramente diferente, le quitó el nombre americano y lo bautizó como "smoking", el nombre que nosotros adoptamos.

Hay ciertos detalles muy importantes para que el smoking se vea elegante. A pesar de que los fabricantes empleen texturas y tonos diferentes, no hay nada más elegante que el *look* clásico del *smoking*: negro y solo negro, sencillo, de tela delgada y fina. Si usted lo usa cada mil años, es preferible que rente uno en un lugar bueno, a que se le vea pasado de moda y apretado. Pero si lo va a rentar, hágalo con tiempo, por cualquier ajuste que se deba hacer.

La camisa debe ser plisada sin olanes, ni orillas o encajes, de mancuernas y blanca. Si usa las de cuello de paloma, le quiero decir que la corbata va por arriba del cuello. Las mancuernas, por lo general, hacen juego con los botones también tipo mancuerna, que por lo general son de ónix. Todo señor debe tener un buen juego de éstos, aunque rente el smoking. La corbata deberá ser de moño de satín negro, y si usted se lo puede hacer, es más elegante. Si no, compre las que se abrochan atrás con el moño ya hecho, y evite las de clip. Por favor no use las angostas, que estuvieron de moda hace veinticinco años, ni las muy anchas, que se usaron hace diez. La faja, del mismo material, deberá quedarle cómoda, para que cuando se siente no se le "enrolle". Vestirse de smoking requiere el uso de zapatos negros de charol y de agujetas. Si no tuviera de charol, pueden ser de piel negra en perfecto estado y lisos.

Los calcetines, también negros, deben ser de material muy delgado o de seda, y deben ser altos para que cuando cruce la pierna no se le vea la piel. El pañuelo es un toque elegante: el más conservador es el blanco, aunque recientemente los eventos hollywoodescos han impuesto la moda del pañuelo rojo o color vino. Puede usar, si quiere, una bufanda de seda blanca, que le agregará un toque de estilo. La próxima vez que lo inviten a un evento formal, dele importancia a la ocasión y al anfitrión. La mejor forma en que usted puede corresponderle es presentándose perfectamente bien vestido de smoking.

CAPÍTULO VI

USTED ES ESPECIAL

1. Para el hombre gordito

Lo que sí, lo que no

En los últimos años, estar en forma se ha convertido en una metáfora de estar en control de uno mismo. El verse así da la idea a los demás de que puede estar en control de muchas otras cosas. El ser bajo de estatura no está en nuestras manos, pero bajar de peso sí. Así que sale de sobra decir que antes de llegar a usar estas técnicas, para verse ópticamente más delgado, usted ya hizo lo primero que se tiene que hacer... bajar de peso.

¡Qué trabajo cuesta lograr lo anterior! Significa esfuerzo, trabajo, constancia y sacrificio. Todos lo sabemos, pero cuando logramos tener una probada de la recompensa, ¡vale la pena todo! ¿Cómo se siente usted el día en que ya no le sube el cierre del pantalón?, ¿o cuando tiene que recorrer un agujero más en su cinturón? ¡Fatal!, ¿no? Y usted no quiere quedarse como "el gordito". Acuérdese de que por cada kilo que baje, aumenta un kilo su autoestima. Su humor cambia, su estado de ánimo cambia, y la forma de relacionarse con los demás, también. Así que ¡ánimo! En lo que baja de peso, he aquí algunos consejos para que se vea más delgado.

Su meta es vestirse para acentuar la línea vertical del cuerpo.

• En ropa *sport*, evite usar estampados en general, sobre todo camisas de cuadros, que con el vientre acaban viéndose como rombos.

• Tampoco use casimires de cuadros.

• Prefiera usar tonos suaves, no muy contrastados. El color es un atractivo visual y usted no quiere llamar la atención hacia su cuerpo.

• Le favorecen los casimires lisos o de raya delgada.

• Busque telas con textura fina que siempre tengan una caída suave.

• Trate de que nunca se le vea la ropa apretada; es mejor usar una talla más grande (por ejemplo, en pantalones de pinzas, pero que caigan como deben) que ver las pinzas jaladas.

• El cuello de la camisa es de los puntos en donde primero se nota el aumento de peso. Cómprese unas tres camisas más anchas de cuello en lo que baja de peso.

El hombre con "kilos de más" no debe usar sacos cruzados ni cuellos de camisa Windsor.
Si está excedido de peso no use estampados grandes ni ropa demasiado holgada.

• Su saco deberá ser ligeramente más largo de lo normal, que le llegue a la uña del dedo pulgar, pegando el brazo al cuerpo.

• Asegúrese de que el saco le caiga rectamente por atrás.

• Use los pantalones un poco más flojos de lo usual.

• Le recomiendo usar sacos sencillos, de dos o tres botones, que no se fuercen al cerrarse.

• Evite los trajes de corte exageradamente italiano, son demasiado anchos en la espalda, así como los trajes cruzados.

• Use los pantalones en la cintura; más abajo harán que el vientre se le note más.

• Prefiera los cuellos de sus camisas alargados, nunca redondos.

• Le favorecen los suéteres delgados con cuello V, abiertos, no cerrados.

• Anúdese las corbatas con nudo sencillo.

No olvide que conforme la talla aumenta... las oportunidades disminuyen. *¡Decídase!*

2. ¿Bajo de estatura?

¡Quisiera verme más alto! Esto es algo que inquieta al 90% de los hombres al tocar el tema de su imagen personal. Los secretos para que un hombre se vea más alto son esos pequeños detalles, que por medio de la ilusión óptica, del corte de la ropa, y los colores bien usados, hacen que un hombre visualmente alargue su figura sobre todo si esta persona, además de ser baja de estatura, es de constitución delgada y "tragaños". En este caso deben poner especial énfasis en su manera de vestir, ya que se ven tan jóvenes que fácilmente pueden dar la impresión de ser una persona no muy seria y madura. El otro día me platicó una amiga que, en una comida, se acercó a una mesa a saludar, e ignoró a un joven de camisa de cuadros, de manga corta, que parecía el hijo de alguien, y después se enteró de que era el gobernador de un estado. Es bueno parecer más joven aunque a veces resulte inconveniente. Vamos a ver la forma de compensar la estatura por medio de tres aspectos: la línea, el estilo y los colores.

A. En cuanto a la línea

Habría que considerar que la mirada se detiene cuando se encuentra con una línea horizontal, así que entre menos líneas horizontales destaque, será mejor. Por el contrario, le favorecen todas las rayas verticales que pueda incluir al vestirse. Y vamos a ver cómo quitar líneas horizontales. Empecemos desde la cara:

1. El *bigote* es una línea horizontal.

2. La *manga corta* es otra línea horizontal, se ve mejor de manga larga.

3. Se verá mejor si usa un *traje completo* en un solo color, más que una combinación, ya que esto, ópticamente, lo alarga.

4. Debe evitar las *corbatas muy anchas*, así como las solapas (aunque estén de moda), y hacer el nudo de una sola vuelta para que no quede muy ancho.

5. Debe tener cuidado con la *valenciana* y sólo usarla con traje completo, ya que acorta visualmente 2 cm la línea de la pierna.

6. En cuanto a los *zapatos*, le favorecen los cerrados de agujetas, o los que tienen la hebilla de lado, porque evitan un corte de línea horizontal entre el pantalón y el zapato que da el mocasín.

B. Estilo

1. El hombre no muy alto, para trabajar, debe invertir en vestirse seriamente, usar ropa de buena calidad para inspirar respeto. Por ejemplo, usar trajes de raya de gis o lisos en colores sobrios y oscuros es su mejor alternativa. Debe tener cuidado con los colores claros y con los trajes de corte muy juvenil.

2. Tiene que ser exageradamente exigente en los pequeños detalles, como el largo del saco, que le debe quedar exactamente en donde dobla el dedo pulgar, porque si está largo se verá más bajo. El cuello de la camisa debe estar impecable; el largo del pantalón debe hacer un quiebre por el frente sobre el zapato, tapando la mitad del tacón de la suela por atrás. Hay que tener mucho cuidado también con el largo de la manga, que debe llegar exactamente debajo del huesito de la muñeca. El estampado de la corbata se le verá mejor si es pequeño y repetido, y el largo debe llegar exactamente abajo del cinturón.

3. En ropa *sport*: a la persona bajita y de huesos delgados le favorecen las telas que tengan cuerpo (como el algodón, el lino, la lana), que no sean tan delgadas como la seda (con ella se ven como sacados de una cubeta). Sobre todo, debe evitar usar la playera sencilla; en ese caso, les quedan mejor las que son de cuello abierto con botones, tipo Polo, y deben evitar los cuadros grandes.

El hombre de baja estatura debe usar el saco a la altura de donde dobla el dedo pulgar,
si no se verá más bajo y debe usar valenciana sólo con traje completo.

4. Le favorece vestirse "en capas" para evitar verse frágil; por ejemplo, arriba de la playera puede usar una camisa, un suéter o si hace frío una chamarra o quizá un chaleco; esto le da más cuerpo. Por el contrario, si la persona es de constitución más llenita, debe recurrir a las telas de caída suave para evitar la redondez.

5. En los *accesorios* también debe ser especialmente cuidadoso. La clave es tener en mente la proporción y la escala, por ejemplo, con el tamaño del reloj, que se vea que usted lleva el reloj...no que el reloj lo lleva a usted. También con el portafolio; éste no debe ser muy grande, por la proporción visual. Sus lentes deben ser de armazón fino, y sólo use el paraguas en casos de emergencia. Acordémonos de que indepedientemente de cómo está vestido, por ahí dicen que la inteligencia se mide de la cabeza al cielo.

3. ¿Alto y flaco?

Entre más alto el árbol, más anchas sus ramas. El ser alto es una enorme ventaja, y delgado más, ya que tiene algunos de los atributos que lo hacen verse distinguido. Sólo hay que equilibrar la figura cortando las líneas verticales. Lo que usted necesita es acentuar la línea horizontal.

Los estampados que logran este efecto son los de gran tamaño, como rayas horizontales anchas, rombos y cuadros. Las texturas que más le favorecen son las burdas, gruesas, crudas, los *tweeds*, etcétera.

Para verse bien vestido, es importante que la ropa le quede holgada, cuidar que los sacos no le queden más largos de lo debido. Le favorecen los sacos anchos de cintura, así como enfatizar ligeramente lo ancho de los sacos en los hombros.

Le favorecen más los sacos cruzados que los sencillos, ya que cuando se abrochan ayudan a crear ese efecto horizontal buscado. Las bolsas por fuera de los sacos ayudan a fragmentar la verticalidad. Si llegara a usar un saco sencillo, que éste sea de dos botones máximo. Los pantalones siempre deberán ir con valenciana, para acortar y equilibrar visualmente la figura.

Los abrigos o gabardinas le deben quedar debajo de la rodilla. Las camisas de vestir siempre deben asomársele media pulgada del puño. Las de cuello y puños blancos con fondo azul ayudan a cortar la longitud. Los cuellos anchos, cortos y separados son los que mejor le quedan y un buen cinturón es importante siempre.

¿Se sabotea usted?

¿Por qué no habré vendido mi producto? ¿Por qué no me dieron ese puesto, si tengo años en la compañía? ¿Por qué cuando voy en la calle con mi hijo, hace como que no me conoce?

Sabotaje. El 95% de las personas saboteamos las oportunidades de nuestras vidas, en una forma inconsciente. Es lo que con más frecuencia nos impide crecer, desarrollarnos en el área en la que trabajamos o nos desenvolvemos.

Una de las formas en las que nos saboteamos es cuando nuestra actitud y forma de proyectarnos no está de acuerdo con lo que somos como personas, y somos culpables cuando deliberadamente escogemos vestirnos para perder.

Nos saboteamos cuando:

• Nos vemos desaliñados.

• Nos vestimos demasiado algo: demasiado moderno, demasiado conservador, con demasiada joyería, etcétera.

• Usamos ropa de materiales 100% sintéticos.

• Enviamos un mensaje confuso con nuestra ropa, como vestido delgado con botas, un traje completo con mocasín de flecos, etcétera.

• Cuando a las 2:00 p.m. nos arreglamos como si fueran las 8:00 p.m.

• Tenemos 40 años y nos vestimos como de 20, o al revés.

• Vestimos siempre en forma aburrida y uniforme.

• Acentuamos nuestros defectos con la ropa y minimizamos nuestras cualidades.

Si es alto y flaco no sabotee su imagen con una postura desgarbada. Su elevada estatura hace que luzca mucho, sin embargo, evite las líneas verticales.

- Si mezclamos piezas de calidad con prendas baratas (las que primero se ven son las baratas).
- Si nos vestimos para llamar la atención a propósito (se nota).
- Si nos convertimos en esclavos de la moda, siguiendo todo aquello que nos es impuesto.
- Nos permitimos usar ropa sucia o demasiado gastada.
- Nos vestimos dos tallas menos de la que deberíamos.

La mayoría de estas "formas de sabotaje" tienen su origen en el clóset, ya que éste es nuestro frente de batalla, de donde sale todos los días la ropa que nos ponemos. Sería bueno observar la siguiente reflexión: el clóset no debe ser un baúl de recuerdos, ni museo; debe ser funcional y práctico. Está comprobado que sólo usamos un 20% del guardarropa el 80% del tiempo. Así que antes de que suceda otra cosa, hagámosle una buena limpia, ¡sin piedad!

4. El clóset no es un baúl de recuerdos

¿Cómo está su clóset?

Le voy a hacer siete preguntas que quiero responda lo más honestamente posible.

1. ¿Siente usted que siempre está vestido apropiadamente?

2. ¿Se viste todos los días como si su vida dependiera de ello?

3. ¿Se siente a gusto rodeado de gente bien vestida?

4. El acto de vestirse diariamente, ¿es un placer para usted?

5. ¿Usa su ropa y su arreglo como una herramienta para llegar a donde quiere llegar?

6. Cada una de las prendas que están colgadas en su clóset ¿lo hacen verse y sentirse atractivo?

7. ¿Siente que usted se ha vestido cuidando el 100% en todas las áreas de su presentación? ¿Cuerpo, ropa, cabello?

¿Cuántos "sí" contestó? Si contestó las siete afirmativamente, usted no necesita leer este libro; ahora, si a todas contestó "no", es momento de empezar a formar un clóset de triunfador.

La clave de su presentación es la actitud. La actitud determina su nivel. En la mayor parte de los casos, lo que nos ponemos determina mucho nuestra actitud. La actitud es la manera de afrontar la vida. Actitud de éxito es igual a imagen de éxito. El clóset es el frente de batalla, del cual tomamos las prendas que nos van a proyectar como gente de éxito, todo el tiempo. Y para que esto suceda tenemos que deshacernos de todo aquello que no nos ayuda, que nos está deteniendo en nuestra carrera ascendente.

En el clóset no hay lugar para sentimientos, debe ser práctico y funcional. Deshágase de lo inútil. ¡Sin piedad! ¿Cuáles son las prendas que nunca se pone –trajes, camisas, corbatas? ¿Son incómodas?

¿Qué tal ese saco, que usó cuando iba en preparatoria y que ahí sigue colgado? O esa corbata que le regaló su esposa hace diez años pero que ya no usa. Pueden traerle hermosos recuerdos del pasado, pero esos déjelos para sus álbumes, y llene su clóset sólo de futuro. Decídase, lleve varias bolsas grandes para basura, haga tres montones y saque prenda por prenda y colóquela en uno de los tres:

1er. montón: lo que no se ha puesto en un año. Ese saco con las solapas muy anchas o las hombreras exageradas. Además, ya pasó por todas las oportunidades, invitaciones, eventos donde se lo pudo poner.

Y si en el año no se lo puso, menos se lo va a poner un año más pasado de moda. Sáquelo y llene esas bolsas de plástico, para regalárselas a una obra de caridad.

2o. montón: lo que tiene que mandar a componer. Pruébese el largo de sus pantalones, verifique el largo de las mangas, analice que se puede actualizar con una simple compostura y decídase a mandarlo. En una semana le entregarán todo arreglado.

3er. montón: lo que le hace verse atractivo, confiable y sentirse a gusto con ello. Que en esencia lo hace verse y sentirse bien vestido, le fascina, eso cuélguelo en su clóset. Quiero que sólo le queden las prendas que lo van a hacer

Su clóset debe estar ordenado y guardar sólo lo que usa.

verse importante, sensacional. Sólo las prendas que al ponérselas digan: "Aquí estoy y ¡me siento muy bien!"

La verdadera prueba del clóset de una persona es la siguiente:

En la mañana vaya a su clóset, abra la puerta y con los ojos cerrados escoja lo que se va a poner. Si puede hacer esto, y está absolutamente seguro de que lo que trae se le ve bien, entonces tiene un clóset funcional y práctico.

Si duda en deshacerse de algunas prendas, póngalas dentro de una bolsa arriba en su clóset donde guarda usted las maletas y verá cómo pasan tres meses y no le harán falta. Entonces podrá regalarlas sin remordimiento.

El clóset es un buen lugar para empezar cuando uno decide hacer un cambio en su vida y moverse del carril lento al carril de alta velocidad. Una vez que ya se tomó la decisión de regalar todas aquellas prendas perdedoras que nos estaban deteniendo, se está dando el primer paso para que poco a poco las sustituyamos por prendas ganadoras que nos servirán como herramienta para llegar a donde queremos llegar.

El orden

Separe las prendas. Los trajes del hombre deben colgarse en dos ganchos, en uno el saco y en otro los pantalones verticalmente para que no se les marque la raya horizontal, que se ve fatal.

De preferencia, cuelgue también las camisas, ya que así no tendrá la raya del doblez marcada en medio del torso. Existen los ganchos verticales que le pueden ahorrar espacio. Acomode las prendas por colores; en las camisas vaya del más blanco al más oscuro, o pida a quien le acomode su ropa que así lo haga.

Haga limpia de las corbatas; le aseguro que tiene usted ya varias que están pasadas de moda y que sólo le ocupan espacio. Escoja quedarse sólo con aquellas que se ven modernas, que son de seda. Deshágase de todas las de poliéster que usó en una época de su vida.

Los suéteres dóblelos y manténgalos a la vista, dentro de bolsas de plástico o fundas especiales, ya que muchas veces los guardamos en cajones, y se quedan en el fondo donde, al no verlos, se nos olvida usarlos.

La ropa interior hay que revisarla también, pues hay algunas prendas que ya dan tristeza. Todo lo que ya tenga agujeros, ¡tírelo por favor!

Guarde un orden en su clóset; será mucho más fácil encontrar las cosas por la mañana cuando por lo general nos vestimos con un poco de prisa, y así se le quitará un poco la angustia de decidir ¿qué me voy a poner hoy?

Una persona bien vestida es aquella cuya ropa la lleva a través del espectro del día, apropiadamente.

Cuando haga limpia del clóset, pregúntese con cada prenda lo siguiente: ¿Es versátil? ¿Va de acuerdo con mi tipo de vida? ¿Me favorece? La meta es tener un clóset ordenado, con piezas intercambiables entre sí que combinen y multipliquen nuestras opciones y, sobre todo, que éste no sea lo que nos impide crecer y nos haga sabotear nuestras oportunidades de éxito.

CAPÍTULO VII

LOS ACCESORIOS... LA CLAVE DE LA ELEGANCIA

1. Las joyas en los hombres

En la sencillez radica la elegancia. Este concepto no sólo se aplica en el vestir. En cuanto a joyería se trata, entre menos traiga un hombre *mejor*. Algunos hombres han adoptado el usar piezas de joyería como esclava, cadena de oro, anillos ostentosos o mancuernas prominentes. La verdad es que no hay nada más poco masculino, y menos elegante, que ver a un hombre con alguna o varias de estas piezas.

La joyería fue creada por el hombre desde los tiempos del Cromagnon, con fines estéticos, para realzar la belleza o el poder de quien la usaba, mostrando así un estatus diferente, más alto que el resto de la gente. Desde entonces, ése sigue siendo el sentido de la joyería. Sin embargo, los fines estéticos o de estatus se logran cuando se lleva la joyería con buen gusto y discreción.

Un hombre con un gran anillo de oro con piedras, un reloj ostentoso de oro, unas mancuernas de brillantes, o cadenas de oro colgadas, nunca logra el efecto positivo que él cree lograr. Todo lo contrario, provoca respuestas totalmente negativas como las siguientes:

"Qué payaso", o "qué presumido", "qué afeminado", "es narcotraficante", o simplemente..... "es un nuevo rico".

En el terreno de su trabajo, provoca desconfianza y antipatía, o quizás envidia, pero como sea, lo que menos causa es una impresión favorable. Por ejemplo, usar arete es de hecho ridículo, a menos que la persona tenga fuertes problemas de presencia y quiera llamar la atención de algún modo. Un ejecutivo jamás deberá traer pulsera ni otra pieza de joyería ostentosa, ya que además de los efectos negativos que ya vimos, intimida a las personas y es una barrera de comunicación que usted no necesita.

No sólo los ejecutivos, sino ningún hombre, en ocasiones como los fines de semana o en la playa, deberá traer pulseras, cadena de oro, ni nada alrededor del cuello. Hay señores que usan una cruz tan grande que ni Juan Pablo II se la pone. Lo que se considera de buen gusto, dentro de la joyería para hombres, es lo siguiente:

El reloj

• Un reloj sencillo, que puede ser de correa de piel o de metal, pero discreto. Ya pasaron las épocas en que se usaban relojes de oro ostentosos, ya son vistos como de "nuevo rico". Ahora los políticos han impuesto la moda de usar un reloj *sport* de plástico negro, lo cual me parece muy sensato. Sin embargo, no hay que exagerar de tal manera que parezca de buceo, de lo tosco que está.

Las mancuernillas

• Un par de mancuernillas simples y pequeñas de oro, así como las que tienen alguna piedra, pero que ésta sea legítima. También se ven bien las que tienen sus iniciales grabadas. Pueden ser de alguna forma geométrica como círculo, cuadro, rectángulo o triángulo. Cuando su reloj es de acero, las mancuernas que le combinan mejor son las de plata.

El anillo

El único que se ve bien es el que nunca se quieren poner, la argolla de casado en el dedo anular y punto. Olvídese de usar el anillo de la carrera, o el del escudo de su familia, guárdelos en la caja del banco y déselos a su hijo como herencia. Jamás use anillos con joyas, y menos en el dedo chiquito. Se ven muy mal. Hay cosas que se sienten bien, sin embargo no se ve bien como un anillo de los Pumas. ¡Úselo sólo con sus compañeros!

Money clip

• Si lo prefiere usar en lugar de cartera, que sea de oro, plata o acero y siempre delgado y sencillo. Una tarjeta de crédito insertada también es todo lo que necesita durante el día y le hace menos bulto que una cartera.

Pisacorbatas

• Los pisacorbatas, como los fistoles, son piezas que se usaron mucho y en algún tiempo se consideraron elegantes. Por ahora no se están usando, y quien los porta se ve francamente anticuado. Quizá (como todo) vuelvan a usarse otra vez.

Los pins

• Si usted pertenece a un club de algo... de los Amigos del buen vino, o a alguna asociación de fútbol, o al Club de Leones o Rotarios, use su "pin" en la solapa sólo cuando tenga reunión con los mismos. No lo traiga todo el día, no se ve bien y puede crear cierto antagonismo en la gente que lo vea.

La elegancia radica en la sencillez. Entre menos joyería se ponga, más masculino y elegante se va a ver.

2. Los lentes que más le favorecen

¿Cuántos años habrán pasado desde el día en que se colocó esos anteojos por primera vez? ¿Cuántos nuevos modelos ya se han usado en ese tiempo? Lo más importante es saber si aún corresponde su graduación a las necesidades de su vista. Los lentes son un accesorio que comunica muchas cosas. El tamaño, la forma, el material y el color inmediatamente nos hablan de su edad, de qué tan actualizado está en la moda, o si ya de plano no le importa. Pasemos a hablar un poco de ese artefacto que sobreponemos en la cara, llamado anteojos.

En los últimos diez años, la tecnología en los anteojos ha cambiado más que en los últimos cien años. Algunos cambios son obvios. Los grandes y pesados anteojos que se resbalaban por la nariz en las pasadas décadas han dado lugar a armazones más novedosos, ligeros, pequeños, con mejor tecnología y formas que realzan los ojos. En cuanto a los materiales, hay una enorme diversidad como: alambre delgado de titanio, acero inoxidable, plástico de colores, o metales de cortes novedosos.

Una gran variedad de estilos facilitan el equilibrar una cara, ya que ésta puede verse inmediatamente más delgada, una nariz larga acortarse, y las ojeras disimularse, cuando unos lentes están bien escogidos.

Incluso pueden hacer que una persona se vea mejor que sin ellos. Aquí le doy unos consejos a seguir:

1. Para escoger el tono del armazón, su tono de cabello es la mejor guía. Si es oscuro, le favorecen de metal acerado, marino, gris, incluso un color vino le queda bien. Si es castaño, los de carey, tonos miel o dorado le complementan su colorido. Por supuesto, los que no tienen armazón le favorecen a todo mundo.

2. Para atraer la atención a los ojos y no a otra facción menos atractiva, repita la forma del ojo con un armazón delgado en forma de almendra y del mismo color que sus ojos. De preferencia, que los lentes sean antirreflejantes.

3. Para que una cara redonda se vea más alargada; escoja unos armazones de forma suave, sin ángulos pronunciados, y no más anchos que lo más amplio de la cara. Evite los muy redondos.

4. Para acortar una nariz alargada, busque armazones de puente bajo y con color. Evite los de puente alto, transparentes o en forma de ojal, que hacen verse más larga la nariz.

5. Para adelgazar y alargar una nariz, pruébese unos armazones con protectores donde se recargan los anteojos. También ayudan los puentes transparentes o de metal colocados en lo alto de la nariz.

6. Si queremos acortar una cara alargada, se necesita dar el efecto de aumentar el volumen a los lados de la cara. Escoja lentes rectangulares o totalmente redondos, no muy delgadito el armazón, con puente bajo y que las patitas salgan de la parte baja del lente.

7. Si tiene los ojos muy juntos entre sí (para saberlo, mida la distancia que hay entre el nacimiento del pelo y donde inicia el ojo; esa misma distancia debe haber entre lagrimal y lagrimal), lo que le favorece es un puente totalmente transparente y delgado y que el color del armazón se oscurezca en las orillas, alejándose del centro.

Sin embargo, lo más importante es actualizar la graduación y que ésta esté bien calculada, ya que muchas personas sufren de dolor de cabeza, dolor de ojos o fatiga al leer sin percatarse de que son los lentes los causantes. Así que chéquese la vista periódicamente, ya que puede acostumbrarse a una mala graduación, y quizá no darse cuenta de qué tan bien o mal está viendo. Proteja sus ojos usando lentes con filtros para rayos ultravioleta, sobre todo si está expuesto al sol o a una computadora por mucho tiempo. Existe un nuevo material que se llama policarbonato, que es una maravilla, ya que bloquea los rayos un 100%; además, es ligero y no se rompe fácilmente.

Si tiene vista cansada, puede usar los bifocales que no tienen división en el centro, o de plano los angostitos que me parece que le dan un aire de distinción a quien los usa. No use los que tienen la división muy marcada, porque le agregan edad y no se ve usted atractivo.

Para adelgazar la nariz use lentes transparentes o de metal, para acortar el largo de la cara, lentes rectangulares o redondos.

Lentes oscuros

Cuando escogemos lentes de graduación, por lo general somos conservadores sin embargo, cuando se trata de los de sol, muchas veces nos alocamos y nos ponemos diseños muy vanguardistas, agresivos u ostentosos, que pueden no ser congruentes con nuestra edad.

Hay en general tres tipos de lentes para sol:
Los que son de espejo, los normales y los fotocromáticos. Los de espejo fueron diseñados para actividades deportivas y se ven muy adecuados en la nieve, en el mar, incluso están hechos de policarbonato, material que resiste 20 veces más el impacto que el cristal; sin embargo, se ven muy mal acompañados de un traje de ciudad. Tome en cuenta también la edad, ya que estos anteojos Oakley, como de mosca, se le ven muy bien a un joven de 19 años, no así a un señor de 40.

No olvidemos que los lentes oscuros son una barrera a la comunicación. Una cara triangular se armoniza con lentes ovalados.

Los fotocromáticos no se los aconsejo, ya que no se ha desarrollado la técnica muy bien: en la sombra se ven como amarillentos (nada favorecedor), y en el sol nunca quedan muy oscuros. Si prefiere, mejor añádale unos "clip ons" (mica oscura) a sus lentes graduados.

No olvidemos que los lentes oscuros son de alguna manera una barrera de comunicación. Tenga cuidado de no usarlos cuando acaba de conocer a una persona, sobre todo si ella no los porta, ya que puede dar una idea de "Yo si te puedo ver a ti, pero tú no me puedes ver a mí." Por último, nunca se los deje puestos al entrar a un lugar oscuro, pretendiendo verse importante o pasar inadvertido. ¡Se ve fatal!

Algo acerca de cómo cuidarlos:

• Límpielos con agua y jabón suave y séquelos con una camiseta vieja, no con toalla de papel, porque se pueden rayar.

• No deje sus lentes en el auto, donde se exponen a mucho calor, ya que las micas se pueden afectar, el color de los armazones se desvanece y las capas protectoras del lente comienzan a descarapelarse.

• Ajuste sus armazones confortablemente. Si se le enchuecaron los lentes porque se sentó en ellos, se le resbalan por la nariz porque ya se le aflojaron, o le dejan una mancha roja atrás del oído, vaya a que se los compongan.

• Use las dos manos para quitarse y ponerse los lentes.

• Guárdelos en su estuche, de preferencia duro, para que no se le rayen.

Pregúntese si no es un buen momento para revisar su graduación y aprovechar para darle una renovadita a esos anteojos que ya tienen mucho tiempo, ya que están diciendo muchas cosas acerca de usted.

3. Los calcetines también cuentan

Señores ¡los calcetines también se ven! Aunque no son las prendas más importantes en el vestir masculino, le dan la oportunidad de expresar su personalidad. Reflejan su buen o mal gusto para vestir y su poco o mucho sofisticamiento. He notado en las conferencias que damos sobre el vestir, que un hombre puede estar perfectamente bien vestido, con la camisa impecable, el traje perfectamente cortado, la corbata combinada... pero al llegar a la región de los calcetines, se asoman unas caritas de Mickey Mouse que acaban con el encanto.

Hay muchas dudas por lo general en los hombres acerca de su correcto uso, como las siguientes:
- ¿Deben combinar con los zapatos o con el pantalón?
- ¿Deben ser de lana, de lycra o de algodón?
- ¿Cuál es el largo adecuado?
- Los de rombos, ¿se ven bien con combinación de saco y pantalón?
- Los de seda, ¿se pueden combinar con un traje durante el día?
- ¿Cuándo se usa el calcetín blanco?

Las reglas del vestir son muy precisas en lo que se refiere a los calcetines.

- Lo primero que se debe cuidar es que al cruzar la pierna no se le vean los vellos por traer un calcetín corto o arrugado. Los calcetines deben llegar a la mitad de la pantorrilla. Por ningún motivo se ponga calcetines cortos, a menos que vaya a andar en bicicleta o a jugar boliche.

- Por favor, sólo use los calcetines blancos para hacer deportes como el tenis, correr, etcétera. Éstos se ven muy mal con cualquier traje o combinación.

- Los calcetines de lana son perfectos para ropa informal como pantalones de algodón o *jeans* (no importa que se arruguen). Úselos con mocasines, nunca *jeans* con tenis.

- No use calcetines cuando lleve *top siders* o mocasines muy sport. Esto crea siempre polémica con los señores mayores; sin embargo, la realidad es que se ve más moderno y actualizado.

• En cuanto a los calcetines delgados y lisos, son un poco más formales sobre todo si son de algodón acordonado o peinado. Nunca los combine con ropa informal, pues hablan dos lenguajes totalmente diferentes. Sin embargo, se ven muy bien con traje o combinación. Si éstos tienen un poco de microfibras de nylon o lycra, hará que no se le resbalen.

• Los calcetines de rombos (preferidos de los universitarios) tuvieron su origen en la década de 1970 y se ven muy bien con ropa *sport* o combinación y se deben usar siempre con mocasines de ciudad.

• Los calcetines de seda transparentes sólo deben acompañar a un smoking de noche; es verdaderamente de "mal gusto" usarlos de día.

• Los calcetines deben combinar con el zapato. Se ve horrible, por ejemplo, un traje gris claro con calcetines gris claro y zapatos negros. Mejor combínelo con calcetines negros y repita el negro en el cinturón.

• Jamás, jamás usarlos en la playa y menos con huaraches.

Para no errar, trate de hacer un efecto monocromático al combinarse; entre menos cortes de color haga, más elegante y alto se va a ver. No lo olvide: ¡Los calcetines también cuentan!

4. ¿Quiere saber si un hombre viste bien? Véale los zapatos

Si ponemos a diez personas detrás de una pared, de manera que sólo se les vean los zapatos, podremos saber de ellas lo siguiente: rasgos de personalidad, posición social, sentido de estilo, costumbres de higiene, cuidado personal, gusto, edad, éxito, campo en el que se desarrolla, así como estado civil... ¿le parece exagerado? Haga sus observaciones.

Más que cualquier otra prenda, los zapatos son los que definen el grado de formalidad al vestir. Lo que separa a un zapato *sport* de uno formal es la suela, el material y el diseño. El zapato debe hablar el mismo idioma que lo que se traiga puesto. Por ejemplo: con un traje elegante entero se debe usar el zapato más conservador, que es el cerrado de agujetas, que puede tener diseños en pequeñas perforaciones simulando colas de viento, pero la suela debe ser siempre delgada. He visto a señores vestidos con trajes italianos, combinados con zapato tipo bostoniano, cerrados con suela tan gruesa y sobresaliente que parece que van al campo de batalla o a marchar. Esta clase de zapato se puso de moda después de la Segunda Guerra Mundial, cuando los diseños se basaban en temas de la armada, pero no olvidemos que ya pasaron más de cincuenta años de eso. Y aunque volvieron a estar de moda, se acompañan de chamarra de cuero, estoperoles y arete.

Los zapatos cerrados, con hebilla de lado que se conoce como "correa de monje", son un poco más *sport* que los de agujetas; sin embargo, también se ven bien con un traje entero siempre y cuando se encuentren en perfecto estado.

Los mocasines con flecos o sin ellos sólo se deben usar con ropa *sport*. Por lo general se pueden llevar en tono *coñac*, vino o negro, y el cinturón deberá ser del mismo tono. Hay lugares donde se usan mucho las botas texanas con traje; en realidad, son todo un símbolo de estatus, dependiendo de la marca y el material. Sin embargo, hay que estar consciente de que en otras ciudades no se llevan, y que si lo hace se va a ver muy local y poco sofisticado.

Los zapatos marcan la formalidad en el vestir, con traje van bien los de agujetas o cerrados con hebilla al lado.

Los mocasines sólo deben usarse con ropa sport.

Pocas cosas hay tan fuera de lugar como llevar un zapato de ciudad al campo o a la playa, o un zapato de color claro con un traje de ciudad. El color del zapato siempre deberá ser más oscuro que el del pantalón; se ve mal cuando éste es más claro, ya que llama mucho la atención.

El tacón es otro detalle importante a considerar. En los hombres, debe ser de un centímetro o dos de alto. (No pretenda verse más alto y ponerle cuatro centímetros. A nadie engaña y se ve horrible.)

Los zapatos deben ser de la mejor calidad posible, y alternarlos con otro par para que respiren y duren más. Asimismo, es aconsejable guardarlos en hormas de madera para que conserven su forma y bolearlos en cada puesta para que la piel no se quiebre.

Sugiero, por último, no escatimar al comprar un par de zapatos, ya que si hay algo que nos puede poner verdaderamente de mal humor es estar incómodos por los zapatos, lo cual es raro que suceda con los zapatos de calidad. Pregúntese: si sólo le vieron los zapatos, ¿qué estarían diciendo de usted?

5. Los detalles

Los accesorios son muy significativos, manténgalos al mínimo. Al comprarlos hay que tener en mente la escala y el tamaño. Un señor bajo y delgado se verá ridículo con un portafolio gigante o un reloj para buceo voluminoso. Por el otro lado, un hombre grandote, se verá incongruente con un portafolio chiquito o un reloj de correa delgado.

Su imagen es total. Los accesorios son tan importantes como la ropa misma. Escójalos con cuidado. Así como el moño es importante para un regalo, un hombre puede verse mucho mejor vestido con los accesorios apropiados. Zapatos de calidad y boleados, un reloj sencillo y elegante, un portafolio en buen estado y de buena calidad pueden subir mucho su presencia, así como accesorios mal escogidos o erróneos pueden arruinar la imagen total.

El paraguas

Puede usted traer un traje elegantísimo; sin embargo, si los accesorios que usted lleva son los erróneos, el efecto total es negativo. Imagínese a un señor con un traje azul marino usando el paraguas de su esposa con flores anaranjadas y verdes. Un desastre. Gaste un poco de dinero y cómprese un paraguas de hombre en color serio y oscuro.

Lo que sí   *Lo que no*

Evite los portafolios de materiales glamorosos, no son elegantes.

El portafolio

El portafolio es muy importante; además de servirle para llevar los papeles necesarios, es algo que lo define como un hombre de negocios, que tiene mucho que hacer.

La piel es siempre la mejor opción, ya que le va a durar entre cinco y diez años y requiere el mínimo cuidado. Es bueno que su portafolio vaya tomando un poco de carácter por el uso; sin embargo, sustitúyalo cuando ya esté deteriorado. Por favor, evite los materiales glamorosos como piel de ostra, lagarto, víbora, etcétera. No se consideran de buen gusto por ostentosos.

Uno de piel gruesa le va a durar más tiempo. Sin embargo, si la piel es delgada, asegúrese de que tenga reforzadas las esquinas. Entre más oscuro es el color del portafolio, da más formalidad. Sólo si usted es un arquitecto, ingeniero agrónomo o algo por el estilo, puede usar los de tono miel muy claro.

Los portafolios duros protegerán mejor su contenido; no obstante, no cierran si guarda muchos papeles. Los suaves son más versátiles, más ligeros, y algunas veces les cabe también una computadora portátil.

El cinturón

Un cinturón negro, color cognac o vino, complementará cualquier traje o pantalón. El cinturón debe ser siempre de piel lisa y en buen estado. Cuando le haya recorrido dos o tres agujeros, ya sea de más o de menos, es tiempo de regalarlo. Para un traje oscuro, lo mejor es un cinturón negro de buena piel y liso. La hebilla debe ser lo más discreta posible, sin anunciar alguna marca. Por favor, tampoco use

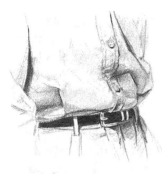

La hebilla del cinturón debe ser lo más discreta posible.

los cinturones con hebillas antibalas, sólo que usted sea vaquero o texano, ni los que tienen la punta plateada.

• Para pantalones *sport*, de mezclilla o de gabardina, use un cinturón de piel más burda o los que son de cuero tejido.

• Para ropa de playa son apropiados los de algodón con cuero.

Es mejor combinarlo, o igualarlo con el color de los zapatos.

La gabardina

Siempre es bueno tener una gabardina. Ésta debe llegarle debajo de la rodilla, para que no se le vea corta. El mejor color es en tonos de beige o negra y de un buen material repelente. Los estilos que nunca pasarán de moda son los clásicos, como la cruzada de ocho botones y la sencilla.

El pañuelo

El uso del pañuelo se ha considerado siempre un toque de elegancia.

La gabardina debe llegar abajo de la rodilla, puede ser clásica o sencilla.

Cuando es funcional debe ser de algodón o lino. Asegúrese de portar uno limpio diariamente, y varios si está en medio de una fuerte gripe. No hay nada más desagradable que ver a una persona buscando una esquina limpia para sonarse.

El pañuelo de bolsillo

El saco de un traje tiene una bolsa pequeña de lado, no para guardar una cajetilla de cigarros ni unos lentes, sino para llevar un pañuelo. Se necesita un pañuelo para completar el cuadro, éste puede ser un simple pañuelo blanco, y sólo deberá ser de seda o algodón.

El uso de éste es algo que aparece y desaparece con la moda, pero permite al hombre la oportunidad de hacer algo fuera de lo ordinario, algo un poco más inventivo. Es un toque que refleja sofisticamiento, elegancia y gusto al vestir. Sin embargo, úselo sólo si se siente cómodo con él.

El pañuelo de bolsillo no debe ser un punto de atención. Debe complementar, realzar o hacer eco a los colores de la corbata, saco o camisa.

No se ponga el pañuelo del mismo estampado que la corbata. Si se los venden juntos, combínelos por separado. Por ejemplo: si usa

Doble su pañuelo de tal manera que la punta quede redondeada, es más elegante.

La forma en tres picos es tradicional.

usted una corbata de amibas en rojo con tonos de azul marino, su pañuelo puede ser azul marino de puntitos rojos, o liso. Dóblelo de manera que asomen los cuatro picos del pañuelo o un cuarto del pañuelo doblado como globo.

La pluma

Cuando necesite la pluma para firmar un documento, un contrato de negocios, un cheque, una carta o simplemente para anotar cualquier cosa, por favor no saque ¡la pluma mordida! En ese instante pierde toda su elegancia. No es necesario que la pluma sea de las más caras del mercado, pero que sea una pluma digna en buen estado o de plástico con el logotipo de su compañía.

Las plumas deben guardarse en la bolsa interior del saco cuando se lo ponga, ya que si las deja en la bolsa de la camisa, éstas ensuciarán la línea de la solapa.

La cartera

Su cartera debe ser de una buena piel en negro o café oscuro. No debe llenarse de fotos, credenciales o tarjetas, ni traer demasiado dinero (aunque sería bueno). Cuide de no entregar las tarjetas de presentación que guarde ergonómicamente curvas. Prefiéralas lo más planas y delgadas posible.

Los tirantes

Los tirantes son para algunos señores más cómodos que el cinturón, ya que los pantalones pueden usarse en forma más suelta en la cintura. En los meses de calor, el uso de los tirantes permite más ventilación que un cinturón. Asimismo, tienen la ventaja de permitir traer los pantalones siempre a la misma altura, ya que a lo largo del día el cinturón va bajándose, evitando así el subírselo tres o cuatro veces.

Los tirantes son apropiados especialmente con trajes de tres piezas, ya que el cinturón crea un bulto debajo del chaleco, o se asoma destruyendo la línea completamente.

Los tirantes jamás deben usarse con cinturón.

Prefiera los hechos de rayón, que sustituyen a los de seda del pasado. Nunca use los elásticos, además de que son horrendos, son muy incómodos y poco elegantes.

Los pantalones que se usan con tirantes deben tener dos botones por atrás, y por el frente cuatro; dos de cada lado en el interior del pantalón. Sobra decir que no se ve bien un hombre con cinturón y tirantes al mismo tiempo.

Como ve, todos estos pequeños detalles complementan en forma importante el cuadro. Así que ponga un poco de atención a todos sus accesorios.

PROTOCOLO

CAPÍTULO VIII

PRESENTACIONES Y CITAS DE NEGOCIOS

1. ¿Qué es empatía?

Cuando dos amigos se encuentran y se ponen a platicar, generalmente adoptan una postura corporal similar, y si además son amigos íntimos y tienen la misma opinión o punto de vista sobre algún tema que están tratando, llegan a estar tan a gusto y a sentirse tan vinculados que en ocasiones parecen una copia exacta uno del otro. Fuman juntos, toman juntos, recargan la misma pierna en la barra o si están tomando una taza de café, apoyan el mismo codo sobre la mesa, etcétera. Si alguno quiere romper ese encanto, le basta adoptar una postura diferente: rígido y reservado, nervioso y tenso, etcétera.

Incluso cuando somos niños o adolescentes y admiramos mucho a alguna persona o artista, llegamos a hablar, a movernos, a reír o caminar como él.

Cuando como adultos, lo realizamos en forma inconsciente, no es un intento de imitación. Lo que estamos haciendo es algo que se conoce como "postura eco" o "espejo". Es algo que realiza el cuerpo de una forma natural, cuando nos sentimos en total empatía con alguna persona. Es como si dijéramos secretamente: "Mira, soy como tú". Es un mensaje que mandamos de manera inconsciente y que es recibido de la misma forma. ¿Ha visto jugar a los niños? Todo lo que hacen es "espejear" al otro.

Todos hemos experimentado la empatía, cuando a lo largo del día intercambiamos una mirada, una frase, o cuando recibimos una palmada cariñosa en la espalda, lo cual hace que nos sintamos vinculados con el otro. Pero lo que no sabemos es que crear empatía hacia los demás, como cualquier otra habilidad natural, es algo que todos podemos aprender a manejar.

¿Qué es la empatía? La empatía es entrar al mundo de otra persona, viajar por el mismo camino y hacerle saber que la entendemos, y al mismo tiempo sentirnos entendidos por ella.

La "postura eco" o "espejo", consiste en adoptar la del otro como un mensaje reflejo de aceptación.

Poder relacionarnos emotivamente es muy importante, ya que tener éxito en nuestras relaciones de trabajo o sociales es una consecuencia directa de la empatía que logremos crear.

No importa quién sea usted, ni qué tan maravilloso sea el producto o el servicio que ofrece. Si no es capaz de compenetrarse, de conectarse con los demás, de nada le sirve. La empatía en las relaciones son como la gasolina del automóvil, que lo hace caminar.

En el trabajo y en las ventas esto también influye muchísimo. ¿Cuántas veces no hemos dejado de comprar un producto que deseamos o que necesitamos por falta de empatía con el vendedor? ¿Cuántos negocios se dejan de hacer por no tener esa habilidad? Simplemente, si no hay empatía no hay venta.

En lo familiar, ¿cuántas veces por falta de empatía no podemos comunicarnos con nuestro hijo adolescente?

Voy a exponer tres formas muy sencillas de crear empatía.

1. Espejeo corporal. Llega su hijo con cara triste del colegio, porque algo le sucedió. Usted lo percibe. Automáticamente se va a inclinar o sentarse para quedar a su nivel. Lo que está haciendo inconscientemente es espejearlo, para que él lo sienta más cercano y funciona maravillosamente bien.

Un doctor puede empezar a ganar la confianza de un paciente imitando su postura. En Rusia se hizo un experimento de telepatía, y observaron que ésta se facilitaba enormemente cuando ambas personas tenían físicamente la misma posición. Una cadena de restaurantes en Estados Unidos entrenó a sus meseros para ponerse en cuclillas, adquirir la misma postura, altura de mirada, etcétera, de sus comensales al tomarles la orden, con el fin de que se sintieran más cómodos evitando el mensaje de superioridad que se transmite cuando el mesero está de pie y mirándonos "hacia abajo".

Esto mismo podemos hacer cuando, por ejemplo, queremos convencer a un cliente de algo, o con una persona que nos acaban de presentar. Adoptar su misma postura, paulatinamente, teniendo cuidado de no hacerlo de una manera obvia, burda, que parezca imitación (porque esto puede molestar), puede dar resultados.

También se puede realizar el espejeo de manera cruzada, por ejemplo, si la otra persona recarga el codo derecho sobre la mesa, uno recarga el izquierdo; si cruza la pierna derecha, uno cruza la izquierda, etcétera.

Al ofrecer a alguien un espejo de su comportamiento, le enviamos el mensaje "mira, soy como tú", lo cual le proporciona un sentimiento de bienestar, de empatía, ya que a todos nos gusta vernos a nosotros mismos.

2. Espejeo de la voz. Otra forma es espejear el tono, el ritmo y la velocidad de la voz de la otra persona. Generalmente, todos hablamos a la misma velocidad que nos gusta escuchar. Si un cliente o amigo llega hablando rápidamente y uno le contesta con mucha lentitud, con toda seguridad no se va a sentir identificado y se va a desesperar; lo mismo sucedería si él hablara en forma reflexiva y lenta y uno le contestara rápidamente.

3. Espejeo de la respiración. La tercera forma es observar la profundidad, la frecuencia y la amplitud de la respiración de la otra persona e imitarla.

Estas tres clases de espejeo: corporal, de la voz y de la respiración, sólo son algunas de las maneras que existen de crear empatía con los demás, y de reflejar a la persona que tenemos enfrente lo que está sintiendo por medio de la voz, de las palabras, del lenguaje corporal, con el fin de que se sienta muy bien al estar con nosotros, que al fin y al cabo es algo que todos buscamos, ¿o no?

2. La imagen de la empresa

Una empresa nunca tiene una segunda oportunidad de causar una buena primera impresión (valga la modificación del cliché). Lo más valioso que una empresa puede tener, no importa si ésta es una microempresa o una multinacional, lo que más debe cuidar es su imagen, ya que es vital para subsistir en este mundo de competencia. La imagen se construye poco a poco y se puede destruir en un segundo.

La imagen de una empresa está formada por muchos elementos: el logo, sus folletos, el empaque de sus productos, la papelería, las tarjetas de presentación, la oficina o planta, bueno hasta sus baños.

Cuentan que Henry Ford hijo, cuando visitaba sus agencias de automóviles, antes de pedir los libros, lo primero que hacía era revisar los baños. Son detalles que aparentemente no son importantes, pero no es así. Por supuesto, la calidad de su servicio o producto, publicidad y el personal mismo también son muy importantes.

Cuando vemos el logo de una empresa, lo que estamos viendo en realidad simboliza quiénes son y qué lugar ocupan en el mundo de la competencia, así como su filosofía, calidad y prestigio. De ahí la importancia de cuidar todos los elementos visibles y pequeños, para que se tenga congruencia.

Lo frágil de una imagen. Una vez que en la mente del cliente o consumidor se instala una mala imagen de la empresa, esto es grave, ya que rescatarla será muy difícil o imposible de lograr. Imagine usted que va comer a un restaurante y le sirven de mala cara, se tardaron años en traerle la comida, que además estaba desabrida. ¿Volvería usted? No, y ésa es su peor venganza, además de platicarle a sus amigos y familiares lo mal que se come ahí. La insatisfacción de un producto o servicio es un tema muy popular de conversación. Si usted está satisfecho, digamos con su auto, no va a llegar a su junta a decirles que llegó a tiempo gracias a lo bueno que le ha salido el auto. Sin embargo, si lo dejó tirado, cuando llegue tarde a todos les va a contar lo pésimo que han salido los automóviles de la marca tal.

Los estudios han demostrado que cuando usted está satisfecho con un producto se lo va a contar a un promedio de 8 personas, y si usted está insatisfecho se lo va a platicar a un promedio de 22 personas, que a su vez se lo van a platicar a 8 cada una, así que 22 x 8 nos da 176 personas que ya tienen en su mente una mala imagen de su empresa.

Es una inversión. El invertir en la imagen de la empresa y en todos sus elementos, como puede ser la publicidad, no es un gasto innecesario, como muchas de las pequeñas empresas lo consideran: es un activo.

Si usted tiene la opción de comprar en dos tiendas iguales y sólo una de ellas se anuncia, ¿en cuál es más probable que compre? Por lo tanto, ¿cuál de las dos vale más? Así que por cualquier lado que lo vea, invertir en la imagen de la empresa vale la pena.

Los detalles como la limpieza del lugar, desde la entrada al edificio, las escaleras, el piso, el elevador, las paredes de la oficina, son muy importantes. Es muy común que la gente se acostumbre a ver las cosas después de trabajar a diario de una misma forma, y ya no nos percatamos si la pared está sucia, la alfombra gastada, pero son detalles en los que se fija la persona que nos visita por primera vez.

Hay muchas empresas que de hecho cuidan e invierten en todos los elementos que ya mencionamos como logo, papelería, publicidad, etcétera. Sin embargo, muchas detienen su inversión y planificación, justo antes del elemento más importante: su personal.

Lo más importante: la gente. Es precisamente con el personal donde se ve la diferencia entre una empresa y otra. Todas pueden ofrecer la misma calidad de productos, bienes o servicios, todas tienen acceso a los mismos sistemas de cómputo y mantienen sus libros con el mismo cuidado. Pero si todos los que trabajan en esa empresa están capacitados, por ende, tienen una mejor actitud de servicio y además están perfectamente bien presentados, es ahí donde está la ventaja competitiva, donde se encuentra el valor agregado.

No sé si le ha tocado alguna vez volar en una línea aérea donde la señorita está mal encarada y casi le avienta la charola. ¿Usted que piensa? La señorita está de malas, o esta línea es una porquería. Por supuesto, culpa a la línea. Y usted probablemente desconozca todo lo que invierte la compañía en mantenimiento, los mejores aviones del mundo, el mejor sistema de reservaciones, o los uniformes carísimos de las sobrecargos. Si en el momento de la verdad lo atendió mal un solo elemento de la empresa, la imagen se cae.

Cada vez que un cliente se topa con un miembro de la organización, es el momento de la verdad. Desde cómo le contesta la señorita por teléfono. Todavía hay empresas importantes grandes, donde las telefonistas contestan sólo con el nombre de la empresa... en seco, sin un "Buenos días" o "Le atiende fulana, ¿En qué puedo servirle?" Nada de eso. Y si pide con una extensión (pac) lo pasan sin decir nada. Ese pequeño detalle está cooperando a destruir la imagen de la empresa.

Como usted ve, son un sinnúmero los detalles que contribuyen a crear la buena imagen de una empresa, pero en los pequeños detalles es donde se refleja el esmero que todos los que trabajan ahí tienen, y todos somos muy sensibles para captarlos.

Así que invierta en la imagen de su empresa.

Recuerde, es un activo.

3. ¿Qué hacer en una cita importante?

¿Qué tal cuando llevamos mucho tiempo y varias llamadas telefónicas buscando una cita importante? Un buen día, por fin, la obtenemos. No podemos fallar en nada, debemos convencer, vender, vendernos. La primera impresión es fundamental, ese primer encuentro es significativo para el futuro de nuestras relaciones. Esos minutos que nos están concediendo para presentar nuestras ideas o nuestro producto valen oro. ¿Qué hacer?

1. Preparemos el encuentro, averigüemos algo sobre la persona que vamos a ver, ya sea en los periódicos o con amigos. La persona se va a sentir muy impresionada si le decimos algo así como: "Sé que eres un gran aficionado al golf" o "No olvidaré que ganaste el premio de la mejor empresa del año".

2. Hay que vestirse de acuerdo con el cliente, empresa o trabajo que nos proponemos alcanzar. Sin embargo, nuestra ropa no es la que debe llamar la atención, sólo debemos vernos muy profesionales y confiables. Si usted va de traje, que éste sea de corte clásico y siempre en tonos de azul marino o grises, camisa blanca o azul clara, y también corbata clásica.

Vaya impecable y perfectamente bien peinado y con el pelo bien cortado.

3. Llegue por lo menos 10 minutos antes.

4. Preséntese con la recepcionista o secretaria entregándole su tarjeta de presentación impecable. No olvidemos ser siempre muy amables con ellas, ya que son siempre la llave para pasar más o menos rápido. Menciónele con quién y a qué hora tiene su cita.

5. Hay que poner todos nuestros sistemas en "siga" y mentalmente generar entusiasmo.

6. No fumemos, ya que hay mucha controversia acerca de esto.

7. Mientras esperamos, hay que ordenar nuestras ideas y visualizar mentalmente el encuentro, lo que vamos a decir, para evitar cualquier signo de tensión y nerviosismo.

8. Antes de entrar, hay que tomarse el tiempo para abrocharnos el saco, si es que lleva. Si va de camisa, porque en esa ciudad no se usa traje, que ésta siempre sea de manga larga; no importa si hace 40 grados de calor, usted se verá mucho más confiable.

9. Tengamos la mano derecha libre de llaves, portafolio, catálogos, etcétera, para poder saludar, así como la tarjeta de presentación a la mano. Si durante la espera nos ofrecieron una taza de café o un vaso de agua, por favor no entremos con ella a la cita.

10. Durante la conversación y al saludar tengamos un franco contacto visual, graduándolo a lo largo de la conversación.

11. Hay que llamar a nuestro interlocutor por su nombre, más de una vez. No hay sonido más dulce que escuchar nuestro nombre.

12. Mencione el tiempo que nos va a tomar la cita y cúmplalo.

13. La actitud que tomemos debe ser de ganador, como de que ya logramos nuestro objetivo (sin exagerar).

14. Cuando la gente está nerviosa, tiende a charlar interminablemente. No hablemos demasiado y, sobre todo, no interrumpamos. El escuchar activamente es muy halagador y efectivo.

15. Iniciada la junta, sólo acepte algo de tomar si alguien lo acompaña, y por favor nada complicado, como "con media cucharadita de azúcar, edulcorante sin azucar o tres gotitas de leche". No vale la pena perder esos preciosos minutos.

16. Sonreír y asentir con la cabeza son los mensajes no verbales más poderosos en la aceptación social.

17. Al sentarse, si es posible, evite los sillones muy abullonados, ya que invitan al descanso. Incline su cuerpo hacia adelante en posición de escuchar.

18. Nuestros ademanes deben ser lentos y controlados. No hay que jugar con monedas, llaves, plumas, corbata, etc.

19. Mantenga un espacio vital cómodo al hablar, y cuide de no invadir el escritorio con los brazos.

20. Si en la junta están presentes otras personas, no olvide referirse a ellas también e incluirlos con la mirada, ya que no sabemos qué tanto pueda influir su opinión ¡Gáneselos!

21. Al término de la cita, agradezca el tiempo que se le dio. Nunca se quede más tiempo del necesario, aunque haya estado muy a gusto.

22. Despidámonos de mano de los asistentes, con un apretón seguro y amable, ya que es la última impresión que queda de nosotros. Al salir, despídase también de la secretaria y de la recepcionista.

23. Al día siguiente envíe una carta de seguimiento o, si prefiere, llame por teléfono.

Si usted sigue estos consejos, le aseguro que en sus citas importantes dejará una excelente impresión, y aunque no le garantizo la venta, sí le puedo garantizar que sus probabilidades aumentarán. Mucha suerte.

4. La puntualidad

No sé si le ha pasado que se cita con alguien a desayunar a las 8:30, sale volando, llega puntualmente, se sienta y empieza a esperar, y conforme pasa el tiempo usted no sabe qué hacer: pide el periódico, revisa su agenda, agradece que el mesero se acerque a ofrecer café pensando que de un momento a otro va a llegar la otra persona. Y de pronto se empieza a sentir un poco ridículo cuando pasan 15 o 20 minutos y la otra persona no llega.

La puntualidad es uno de los valores más apreciados en las relaciones sociales y de trabajo.

Sin embargo, resulta que en las sociedades latinas como la nuestra, la gente que está mal ¡es la que es puntual!

Por ejemplo, si lo invitan a usted a una cena y le dicen que es a las 8 de la noche, no se le vaya a ocurrir presentarse a esa hora, pues es probable que el señor de la casa todavía no haya llegado, que la señora no se haya terminado de arreglar, que esté en tubos, y lo peor, ¡usted queda como un imprudente!

Los extranjeros, cuando nos visitan, verdaderamente no comprenden nuestro peculiar estilo de "puntualidad", e incluso se ha considerado una característica del latino.

Por ejemplo, se afirma en las invitaciones de boda que la misa va a ser a las 7:30 p.m., cuando todos sabemos que va a ser a las 8:00 p.m. Y a las 8:00 p.m. la iglesia está vacía porque todos llegamos a las 8:30. ¿No es ridículo?

En los negocios

Cuando alguien acude tarde a una cita ya está en desventaja, porque llega pidiendo disculpas, y si no lo hace, está aún en mayor desventaja.

En los negocios, si va a ver a una persona, cliente o alto ejecutivo, y lo dejan a usted esperando horas, es una falta de respeto. Desde mi punto de vista, cuando lo dejan a uno en la antesala por más de 15 minutos, regularmente es por una de dos razones:

1. Es una persona muy ocupada, que no sabe administrar muy bien su tiempo.

2. Es una persona que cree que por ser importante tiene derecho a llegar tarde o a recibir tarde a las personas que tienen cita, y lo hace a propósito. Además, seguramente ese ejecutivo subió de puesto también a base de hacer antesalas larguísimas (uno repite lo que aprende).

¿Qué puedo decirle de la persona que tiene en sus manos (y es su trabajo) solucionarnos algún trámite gubernamental y nos hace dar vueltas y vueltas por horas y días? Entre más tiempo nos hacen esperar, ¡más importantes se sienten!

"El tiempo es tan valioso como el dinero", dice Thomas Mann, pero esto parece tener a mucha gente sin cuidado.

Alguien debería calcular cuántos millones de pesos se pierden al año diariamente por la falta de puntualidad y formalidad, que se traduce en tiempo hábil desperdiciado.

No saben que lo que verdaderamente denota clase en una persona es que, siendo muy importante, sea puntual.

¿No le ha tocado esperar dos o tres horas a un doctor? ¡Por eso nos llaman sus *pacientes*! ¿Y no tiene a veces la impresión de que el doctor cita a tres pacientes a la misma hora para que su consultorio se vea lleno?

Creo que nadie tiene el derecho de disponer del tiempo de los demás.

Además, el que es impuntual cosecha la impuntualidad de los otros, ya que todos piensan que no es necesario ser puntual con alguien que no tiene respeto por el tiempo de los demás.

Por lo tanto, si tiene que ver a una persona, es mejor citarla en su oficina, para que si llega tarde usted pueda ocupar su tiempo.

En los negocios, la puntualidad es uno de los valores más apreciados y necesarios, sobre todo la puntualidad en la respuesta: "Te lo mando mañana mismo", cuando sabemos que el documento llegará en una semana. ¡No se vale!

Por el contrario, qué buena impresión causa una persona que llega o le recibe puntualmente, que acude en punto a sus citas y cumple con lo que promete. Verdaderamente una persona así merece respeto y admiración.

La puntualidad es cortesía de reyes, necesidad en los negocios y costumbre de gente bien educada.

Lo más preciado que tiene el ser humano es la vida, y la vida está hecha de tiempo. Y lo más valioso que le podemos dar a alguien es respetar su tiempo.

Son tiempos de cambio, a lo mejor los latinos podríamos volvernos puntuales de repente. ¿Por qué no? ¡Ojalá!

5. Cómo y cuándo dar una tarjeta de presentación

Cada vez que da su tarjeta de presentación, además de aportar sus datos, está expresando mucho de su persona y de su empresa, ya que en ella transporta la imagen de su empresa y ésta debe provocar en la persona una impresión tal, que al verla le invite a comunicarse con usted. Ésta es sencillamente una más de las estrategias de comunicación.

Diríamos que es como un apretón de manos que deja tras de sí. Ahora que el cómo, cuándo y a quién se le dé su tarjeta tiene sus sutilezas.

1. En primer lugar, la tarjeta debe ser de la mejor calidad posible, de preferencia que sea grabada, que esté impecable y que sea lo más seria posible en el aspecto de no llenarla de datos inútiles, como nombrar todas las sucursales que tiene la empresa, con dirección y teléfonos. Se ven tantos datos que termina no viéndose nada.

2. Es mucho mejor no dar una tarjeta que dar una que esté rayada, sucia, decolorada, arrugada o tachoneada, ya que esto da una pésima impresión, así que tiremos aquellas tarjetas que estén menos que perfectas. Si le cambiaron el fax o está estrenando su correo electrónico, mándese hacer tarjetas nuevas.

3. Hay que llevar las tarjetas dentro de la cartera, para que se mantengan en buen estado, pero la cartera de algunas personas ya está curva (y cuando saca su tarjeta, verdaderamente se la entrega ergonómicamente cóncava).

4. No hay que ofrecer la tarjeta de inmediato cuando acabamos de iniciar una conversación con un perfecto extraño que hemos conocido por accidente (como el vecino en un avión, o en la barra de alguna cafetería, algún bar, etcétera).

Nuestra ansiedad puede trabajar en contra nuestra. (Porque existe la posibilidad de que, si supiéramos la verdad sobre nuestro vecino, quizá no nos gustaría que tuviera todos nuestros datos.) Hay que ser selectivos y oportunos con las personas a quien se la damos, ya que en ocasiones pueden hacer mal uso de ella.

La gente que ocupa puestos importantes debe tener muy claro que la posición que guardan puede ser explotada con la sola presentación de su tarjeta.

5. Hay gente que hace sus tarjetas grandes con el propósito de hacerse notar, pero corre el riesgo de que quien la reciba no sepa dónde ponerla porque no le cabe en los tarjeteros normales.

6. Cuando nos encontremos con un ejecutivo de mayor rango, no le impongamos nuestra tarjeta. Esperemos a que él o ella nos la pida. Por ejemplo: en el ejército está prohibido que le extienda la mano a un superior. Y en general, los ejecutivos más altos observan esta conducta en lo que se refiere a la tarjeta de presentación.

7. En una *convención* o situación social de trabajo, no hay que repartirla indiscriminadamente frente a un grupo grande de extraños. La gente inmediatamente pensará que les queremos vender algo, y eso hará que nos evadan. La mejor forma de darle nuestra tarjeta a alguien es hacer el intercambio sólo con los que nos interesa tener un futuro contacto.

8. Si vamos a dar una presentación en una sala de juntas a un pequeño grupo, fuera de nuestra oficina, hay que repartir nuestra tarjeta a la gente que nos va a escuchar, antes de iniciar, para que la gente sepa quiénes somos.

9. En eventos sociales, no se debe intercambiar la tarjeta durante la cena o comida. Es mucho más elegante entregarla al despedirse.

10. Cuando somos recibidos en una cita o una audiencia por una persona a quien le solicitamos una entrevista, el primer acto debe ser saludar con la voz, con un firme apretón de manos, y en seguida extenderle nuestra tarjeta.

11. Cuando enviamos unas flores para agradecer una cena, o una atención, se debe usar la tarjeta personal y no la de la compañía.

Por último, creo que un hombre de negocios sin tarjeta de presentación es como un soldado sin fusil; así que asegurémonos de siempre traer con nosotros una dotación que exceda las que podamos necesitar, ya que el nombre escrito en un papelito, o en una servilleta, téngalo por seguro que a nadie impresiona. Además, en cuanto nos volteamos, seguramente la arrugan y la tiran a la basura. Cuide sus tarjetas de presentación.

6. Su imagen impresa

¡Qué buena impresión causa recibir una carta o documento en un papel fino y con una excelente calidad de impresión! En esta era de la "comunicación instantánea", vía teléfono, módem, *e-mail* o fax, se está olvidando poco a poco el impacto de una correspondencia bien presentada.

¿Cuántos faxes recibe usted al día, por lo general no con muy buena transmisión? En ella, la lectura es difícil no sólo por lo borroso de los párrafos, sino por lo enrollado del papel.

Quizá enviando un fax ahorremos tiempo para comunicarnos, pero nunca causaremos la misma impresión que si enviamos el documento por mensajería. A veces vale la pena tardarse un poco más.

Escribir a la gente con puño y letra en un excelente papel, o en una tarjeta, es un toque personal difícil de superar. Además, se distinguirá inmediatamente del montón. Escriba seguido. Escriba para agradecer, para notificar, para preguntar, para corregir, para felicitar, para todo lo que se le ocurra.

La mayoría de nosotros recibimos más correspondencia de la que podemos revisar a fondo y ésta va aumentando conforme se eleva el rango o puesto de trabajo. Por lo tanto, cuando usted escriba, especialmente a un alto ejecutivo, asegúrese de que su correspondencia sobresalga del resto y capte la atención del destinatario, pero sobre todo, asegúrese de que su mensaje sea muy claro.

En persona tenemos segundos o cuando mucho dos minutos para causar una buena impresión. Por escrito, tenemos todavía menos tiempo.

¿Cómo causar una excelente impresión en una carta comercial?

1. Primero que nada, su mensaje debe ser breve. ¿Quién cuenta con tiempo para leer una carta interminable en un día de trabajo?

2. Los párrafos no deben tener más de seis o siete renglones, para que visualmente se facilite la lectura.

3. Use el formato de dejar "sangría" al empezar los párrafos; está comprobado que invita al lector a "entrar" a la lectura.

4. Use lenguaje sencillo, con palabras cortas y claras. Ya pasó la época en que mientras más rimbombante e impenetrable era una carta, la impresión que causaba era mejor.

5. Siempre oriente el primer párrafo hacia el destinatario. Empiece con algo que sea del interés de su lector. Por ejemplo: palabras como "usted" o "su compañía" provocarán su interés. Palabras como "yo", "nosotros" desaniman a leerla.

6. El segundo párrafo es el que debe hablar de lo que usted quiere, busca, realiza o sugiere. Como: "Estoy interesado", "Nos gustaría", "Quisiera."

7. El tercer párrafo debe expresar la "acción" que quiere que se tome. "Necesitamos que...", "Le llamaré..." "Le estoy enviando..." "Usted y yo podríamos..." etcétera.

8. Siempre agregue una postdata. Se han hecho estudios donde comprueban que las personas, al recibir una carta comercial, por lo general la tiran, aun antes de leerla. Sin embargo, un alto porcentaje lee la postdata. Si ésta tiene una frase que logre atraer la atención, leerán la carta completa.

No olvidemos que la efectividad en nuestra comunicación determinará la efectividad en nuestra vida de negocios.

7. El arte de presentar a la gente

Lo más importante al presentar a la gente es no olvidarnos de hacerlo. Hay que hacerlo siempre, aunque en ese preciso momento no nos acordemos de su nombre, nos confundamos, o no lo hagamos en una forma protocolariamente correcta.

Es comprensible, y hasta perdonable, el tener un lapso mental sobre el nombre (a todos nos ha pasado), pero lo que es muy irritante y la gente no perdona es ser ignorada.

El presentar a la gente es de los actos más importantes en la vida de negocios. Y muy poca gente lo sabe hacer correctamente. Hay detalles importantes, por ejemplo:

- Introducir el joven al mayor.
- El de menor rango al de mayor rango.
- Un compañero de la propia empresa a uno de otra empresa.
- Un ejecutivo de la empresa al cliente.
- El hombre a la mujer.

Es importante explicar quién es la persona, o decir un poco a qué se dedica en el momento de presentarlas. Como:

"Señor, Fuentes, le quiero presentar a mi hija Laura. Laura, él es el señor Fuentes, presidente de nuestra empresa."

Para introducir un extraño a su grupo

Cuando llega alguien que sólo usted conoce a su grupo, sería muy descortés el seguir platicando sin incorporarlo. Todos hemos estado alguna vez en una situación así, y nos sentimos fuera de lugar, incómodos y extraños.

Se puede interrumpir la conversación del grupo para darle la bienvenida al *nuevo.*

"¡Carlos, qué gusto verte! Te quiero presentar a mis compañeros de trabajo Juan Sánchez, Diego López y Pepe Ruiz. Él es Carlos Quiroz, un vecino de la infancia, que trabaja en Bayer."

Ayuda mucho dar un poco de información acerca de la persona que estamos presentando. Esto mantendrá la conversación fluida, quizá alguien tenga un amigo trabajando ahí, o alguien comente algo sobre la compañía. De inmediato el "nuevo" se siente integrado y bienvenido.

Los títulos

Es importante que siempre mencionemos el título o rango oficial que tenga la persona en una forma clara y fuerte. Sobre todo si se trata de una persona mayor, de un puesto diplomático o de un rango militar, aunque quizá ya no tenga el puesto o ya esté retirado. Por ejemplo, si una persona fue embajador, no se le presenta "El antes embajador o el antes coronel, simplemente: "embajador Vega".

En la presentación de negocios, se introduce el joven al mayor, el empleado al ejecutivo.

Si alguna vez tiene que hacer una presentación entre dos personas y no se acuerda del nombre de una de ellas (lo cual nos pasa frecuentemente), aunque la solución más fácil es admitir que olvidó temporalmente su nombre, hay otra solución. Mencione algo que levante el ego de la persona cuyo nombre no se acuerda:

"Mira, tengo años de no ver a esta persona que era el mejor vendedor de la compañía" (o el mejor jugador de fútbol en la cuadra, o lo que usted recuerde de él).

Fijémonos siempre en presentar a las personas; esto las hará sentirse importantes y usted ganará amigos.

8. ¿Qué título tiene usted?

Ahora está de moda ostentar o tener títulos de carreras, doctorados y posgrados, los cuales seguramente se obtienen a través de largos años de estudio, sin duda con gran esfuerzo y dinero, pues toma lo menos 5 o 6 años conseguirlos.

Hay un título que se olvida, que para mí es el más importante de todos, que se logra a lo largo de una vida y es el más difícil de conseguir. Es el título de "señor" o "señora".

Para este título no se estudia en una universidad, se lucha a pulso y a diario por ganárselo. Sin embargo, es un título que se puede fácilmente perder. Cuando se dice de alguien: "Es todo un señor", esto nos habla de la calidad que como ser humano tiene esa persona.

Títulos como ingeniero, licenciado, doctor, etcétera no nos garantizan la integridad de una persona, ni su honradez. No nos hablan acerca de su sensibilidad para tratar a personas que se encuentran de alguna manera en desventaja en comparación con él.

¿Cuántas personas que conocemos, con altos puestos, posiblemente millonarios, figuras públicas o políticas, distan mucho de ser lo que se llama un "señor"? No es fácil llegar a ser reconocido como "todo un señor".

Recopilé algunas opiniones acerca de lo que la gente opina que se necesita para ser un "señor":

• A un verdadero señor la gente lo respeta o lo estima no por su posición social, edad o jerarquía.

• Es aquel que prefiere la lucha honesta, no comprar la falsa victoria.

• Un señor es aquel que actúa por convicción y no por adulación.

• Es el que sabe manejar su libertad para pensar, hablar, leer, escribir, sin caer en excesos o exhibicionismos.

• Un señor es aquel que acepta sus errores sin perder la calma.

• Es el que sabe pedir una disculpa cuando es necesario, y perdona fácilmente.

• Un señor es aquel que no se burla de los errores de los demás.

• Es el que se comporta con propiedad en toda ocasión, y es fiel a sus principios.

En fin, como ve, no es nada fácil llegar a obtener este título. Pero le aseguro que el mejor ejemplo que puede dar a sus hijos es lograr que ellos opinen que usted "Es todo un señor", ¿no cree?

9. La importancia de llamar a las personas por su nombre

¿No le ha pasado alguna vez que le presentan a tres personas al mismo tiempo y que sólo se limita a decir: "Mucho gusto, encantado, mucho gusto", y después no sabe cómo dirigirse a ellos, porque no tiene la menor idea de cómo se llaman? Es muy incómodo, sobre todo cuando una de esas personas se dirige a usted por su nombre.

Recordar nombres y caras es una de las cosas más importantes y también de las más difíciles. Lograrlo nos beneficia en nuestra vida personal y profesional, ya que:

1. El mejor cumplido que le puede dar a una persona es mostrarle que le importa. Y eso lo transmite llamándolo por su nombre.

2. A la gente se le olvidan las palabras pero no se le olvida cómo la hicimos sentir.

3. El recordar su nombre indica que estamos alerta, atentos, cualidad que a la gente le gusta de manera natural.

4. Además, se hace presente en la mente de la otra persona, porque al llamarlo por su nombre se preguntará: "¿Quién es esa persona?" Hay algo de magia en oír nuestro nombre que nos hace sentir únicos entre los demás.

Cualquier pregunta que hagamos, cualquier información que demos, cobra un peso diferente si le agregamos el nombre del interlocutor. Ahora la pregunta sería: ¿Cómo recordar los nombres?

Nuestra mente entiende mejor una idea, la procesa mejor y la recuerda mejor si se la damos mediante imágenes. Como no hay nada más abstracto que un nombre, la manera en que se nos va a grabar es creando imágenes de ese nombre, visualizándolo lo más claramente posible, por medio de la asociación.

Si usted se fija, los sueños que tuvimos de chicos que no se nos han olvidado son aquellos que iban acompañados de alguna emoción. Así que a esa imagen mental que hagamos le agregamos un ingrediente emocional, y así no se olvida. Entonces la asociación debe ser emocionante, violenta, chistosa, ridícula, tenebrosa. Una de las formas muy efectivas de asociación es:

1. La del mismo nombre. Escuchemos claramente el nombre cuando la persona nos es presentada. (Si no lo escuchamos bien, pedirle que por favor lo repita.)

Acuérdese de alguien que conozca que tenga el mismo nombre (puede ser un amigo, un conocido o alguien famoso). Mentalmente, tome el cuerpo de su amigo y coloque la cara de la nueva persona en sus hombros. Hágalo de manera muy clara, que parezca casi una alucinación.

Puede hacerlo aún más vivamente; por ejemplo, si su amigo juega futbol, pues se lo imagina pasándole una pelota; si es ingeniero, se lo puede imaginar construyendo una barda juntos. Tiene que ser tan clara esta imagen que con sólo verlo aparezca la cara de su amigo.

2. Por apariencia. Este método consiste en asociar el nombre de la persona con una característica de su apariencia.

Hay que estudiar la cara muy bien. El objetivo es que la podamos reconocer fácilmente de los demás. Y hay que observar las características especiales de su rostro, como:

Si su cabeza es grande, pequeña o mediana; si es redonda, cuadrada, etcétera, sus cejas, frente, las orejas, etcétera.

Y como si fuéramos caricaturistas, reconstruyamos en la mente la cara de la persona exagerando algún rasgo.

Supongamos que quiero acordarme del nombre del señor Cuevas, y me imagino su cara con una boca desmesurada que parezca una cueva, entonces se acuerda usted: "Boca de cueva. El señor Cuevas". O por ejemplo, para acordarse del nombre del señor Aguilar, piense en unos ojos de águila.

Si quiere acordarse del nombre y no se le viene nada a la mente, trate de usar la técnica de: "Suena como…"

Antonio, por ejemplo, suena a "moño" y me lo imagino con un moño en la cabeza.

Todos podemos desarrollar esta habilidad con la práctica.

Recordar nombres no es un esfuerzo hecho para lucir nuestra buena memoria, es mostrar tan sólo nuestro deseo de recordar a la persona colocada tras el nombre. Dicen por ahí que no hay sonido más dulce que escuchar nuestro nombre. Llamemos a la gente por su nombre. La regla número uno en relaciones humanas es: "Haz sentir importante a la persona." Y la mejor manera de hacerlo es llamarla inmediatamente por su nombre.

CAPÍTULO IX

¿CÓMO SER UN BUEN CONVERSADOR?

1. El arte de escuchar

Podría parecer que el lenguaje de la imagen sólo se refiere a lo visual, pero cuando estamos conversando con una persona conocemos mucho más de ella no por lo que dice o cómo lo dice, sino por cómo escucha.

Si observamos a las personas cuando estamos en una fiesta, podemos ver que una está contando anécdotas, otra más se está quejando de algo, y otro quizá está presumiendo de alguna cosa.

Todo mundo está ansioso de hablar, de contar nuestra historia. Sin embargo, si nos damos cuenta... en realidad nadie está escuchando. Mientras todo mundo habla, los que escuchan están distraídos, viendo quién entró, cómo entró y con quién entró... o quizás están ensayando mentalmente lo que van a contestar, porque secretamente han acordado algo: "si yo te oigo, tú me oyes."

La gente que no escucha es muy aburrida. Parecen no estar interesados en nada más que en ellos mismos. Hablan siempre en primera persona, yo, mí, me, conmigo. Desaniman a amigos potenciales mandando el mensaje de "lo que tienes que decir no me interesa". Como resultado, frecuentemente se sienten solos y aislados.

Lo peor es que la mayoría de la gente que no escucha no se da cuenta de qué es lo que pasa.

Ya se cambian de forma de vestir, se esmeran en captar la atención, siendo chistosos, y hablan de temas interesantes pero el problema sigue. No nos dan ganas de platicar con esa persona porque nunca escucha.

Hay tres niveles de "escuchar"

Nivel 3. Escucho en intervalos, pongo cara de que oigo pero no oigo, estoy pendiente de lo que sucede alrededor y sigo la discusión sólo para tener oportunidad de decir lo que yo pienso.

Nivel 2. Escucho sus palabras, pero no el significado. Hago muy poco esfuerzo en comprender su intención. Me concentro más en el contenido que en el sentimiento, y no me involucro emocionalmente. Como no le pongo toda mi atención, es fácil que malentienda lo que oigo, y le doy consejos que no vienen al caso porque ni siquiera entendí, y en realidad no ayudé en nada a quien me habló.

Nivel 1. Escucho con todo mi cuerpo. Trato de ponerme en los zapatos del otro, sentir lo que siente, ver lo que ve, y se lo hago saber.

No me distraigo con lo exterior, no pienso en mí, me concentro en lo que me está diciendo con sus palabras, y lo que me dice con su cuerpo, con su cara, con sus silencios ... Sobre todo, no necesita justificarse de nada de lo que me está contando, porque lo escucho con el corazón.

Le hago sentir que lo que le pasa de verdad me importa, le hago preguntas prudentes y en el momento... esto hace que se sienta aceptado, comprendido, y que tengamos una relación más estrecha y profunda.

Sentirnos escuchados es algo que todos necesitamos desesperadamente. Además, escuchar me hace crecer a mí como persona, es lo mejor que podemos dar a alguien.

Escuchar no es nada más sentarse quieto con la boca callada. Eso, hasta un muerto lo puede hacer.

¿Qué es entonces escuchar? Para contestar hay que hacernos dos preguntas: ¿Cómo se siente cuando escucha verdaderamente a alguien? ¿Qué siente usted cuando alguien verdaderamente lo escucha?

El otro día me encontré un anónimo que me encantó:

"Cuando te pido que me escuches y me empiezas a aconsejar, no estás haciendo lo que te pedí.

Cuando te pido que me escuches y me dices que no me debería sentir así, estás hiriendo mis sentimientos.

Cuando te pido que me escuches y sientes que debes hacer algo para solucionar mi problema, me decepcionas... aunque esto te suene extraño.

¡Escúchame!... Es todo lo que te pido, no hables, no hagas nada, sólo escúchame.

Quizá es por eso que hablar con Dios nos consuela tanto.

Porque Dios no habla, no da consejos...

Dios sólo escucha y permite que yo encuentre la solución por mí mismo."

La naturaleza es muy sabia; por eso nos dio dos oídos y una boca: para que escuchemos el doble de lo que hablamos.

2. El arte de conversar

¡Qué agradable es pasar el rato con un buen conversador! El tiempo parece detenerse y nos olvidamos por momentos de las preocupaciones cotidianas. Hay personas que cuando platican, parecen tener algo que nos atrae, que nos hipnotiza... ¿qué es?

¿Qué es lo que hace ser a una persona un gran conversador y por lo tanto muy popular?

¿Qué cualidades tiene?

El ser un buen conversador, en lo social, es un don, una gracia, y en los negocios es una muy buena herramienta.

Y como todo elemento de la personalidad, el ser un buen conversador es un arte, una habilidad que todos podemos aprender.

1. Un buen conversador, antes que nada, se interesa genuinamente por la persona con la que está platicando. Y se puede adaptar fácilmente al tema o a la forma de exponerlo, de acuerdo con quien esté hablando.

Por ejemplo, se puede hablar con un pintor y preguntarle por los materiales de pintura, cómo maneja la luz, cuántos años tiene pintando, etcétera; y con una esposa joven que le tocó en el avión, de las actividades e intereses de los niños... y ESCUCHAR con atención, ya que está convencido de que de cualquier persona se puede aprender algo.

2. El buen conversador nunca empieza su tema con la palabra yo (Yo hice esto, hice lo otro, etcétera).

En cambio, orienta su conversación hacia el interés de los demás, y no sólo habla de los temas que él domina o prefiere, como los autos, los caballos, el trabajo, los niños: y les cede a otros el micrófono.

Los temas de conversación son como cajones, hay que tener la sensibilidad de cerrar alguno de ellos cuando vemos que el tema está incomodando a alguien. Entonces hay que abrir otro cajón y sacar un tema fresco. Si escogemos temas importantes para la otra persona, mucho mejor.

Ahora, cuando sentimos que no tenemos nada de qué hablar y se hace un silencio incómodo, siempre tengamos cajones de reserva que abrir, como:

Un nuevo restaurante al que acaba de asistir,

Una película muy divertida que acaba de ver.

Un buen libro que todos disfrutarán leer, etcétera.

El último descubrimiento en ingeniería genética.

¿Ahora de qué platico?

• No hablemos jamás de enfermedades ni de asuntos personales, ni intimidades ajenas. En general, a nadie le interesa que le platiquen de los resultados del examen anual de salud de la persona, de su colesterol, o del estado de sus alergias.

Cuando alguien nos pregunta sobre nuestra salud... esta persona agradecerá infinitamente que le contesten con un "muy bien, muchas gracias", o si se trata de la salud de algún pariente, dar muy rápida y escuetamente el reporte, sin enumerar una lista interminable de achaques.

• Nunca hay que hablar de dietas... y menos cuando está el mesero a punto de llegar con el plato calórico que pedimos.

• Esté pendiente de cuando pueda estar aburriendo a su auditorio, y cambie de tema.

• Nunca debemos hablar de cuánto cuestan las cosas, o de cuánto dinero tiene o no tiene fulano, ya que esto hace sentir muy incómodos a los demás.

• Y algo muy importante: no hable mal de nadie cuando esto puede dañar seriamente la carrera o la integridad de alguien.

• Sepa cómo y cuándo es apropiado hablar de negocios o de asuntos personales (esto requiere tener un buen sentido de la oportunidad).

• Evite hablar de temas que no sabe a fondo.

Para estar bien informados, la mejor receta es cultivarnos, leer periódicos, revistas, ir al cine, a museos, para ser capaz de hablar de varios temas. Hay que abrir la mente para ser capaces de comunicarnos mejor.

Recomendaciones

• Cuando estamos ante varias personas que presencian la plática, tengamos el cuidado de incluir con la mirada a todos y no sólo veamos a uno. No hay que interrumpir a nadie para terminar sus frases, aunque sepamos el final.

• Me encanta escuchar a las personas que son un poco actores, ya que saben modular y enfatizar la voz cuando es pertinente, son CLARAS en sus ideas y muy expresivas con sus gestos.

• Que alguien tenga sentido del humor es una cualidad maravillosa, que se pueda reír de sí mismo o de los demás sin ofender a nadie.

• No opaque el relato o las noticias que otros comentan (como las personas que siempre han leído un libro mejor que el que se está comentando, o conocen un lugar más bonito, o sus hijos son los mejores del mundo... ¡son odiosas!)

• El atributo más importante de un buen conversador es saber escuchar, lo cual no quiere decir poner cara de que estamos oyendo. Eso se nos nota en las preguntas que hacemos al final, si éstas son o no inteligentes. Debemos hacer sentir a la persona que lo que dice es muy interesante. Y sobre todo, hacerle sentir que nos dejó muy bien impresionados.

3. Protocolo en el teléfono

El teléfono es, además de la entrevista personal, el método más importante utilizado en el mundo de los negocios.

La forma en que conteste una recepcionista, usted, o su secretaria, dice mucho acerca de su compañía y de su eficiencia.

La voz que contesta puede expresar una actitud positiva, negativa, o una actitud de "no me importa". No debemos olvidar que cuando hacemos una llamada telefónica, no deja de ser una interrupción y una intromisión en el muy ocupado día de cualquier persona. Así que tengamos una buena razón para hacerla. Por otro lado, no hay cosa más desesperante que nos tengan horas esperando, y no se diga si nos urge hablar con alguna persona, o si llamamos desde un celular (sólo vemos mentalmente pasar el signo de pesos).

O qué tal cuando llegamos a un lugar donde esperamos atención y servicio, y nos encontramos con una señorita pegada al teléfono, hablando cómodamente, sin el menor apuro.

Tampoco creo correcto que al estar en consulta con un médico, al cual esperamos pacientemente, el doctor conteste ocho llamadas en la media hora que se suponía nos iba a atender (nos hace sentirnos poco importantes).

Hay algunos detalles que debemos cuidar al hacer una llamada:

• En una llamada de negocios, vayamos al grano, seamos breves, concisos. (La gente que trabaja siempre está muy ocupada.)

• Las llamadas de negocios, hagámoslas sólo a la oficina, nunca a la casa de la persona, y menos fuera de horas de trabajo. (Así le tenga usted toda la confianza del mundo.)

• Un grave error que se debe evitar cuando se es un joven ejecutivo, es pedir a la secretaria que lo comunique con un directivo más alto jerárquicamente o de mayor edad, y no estar a la línea cuando la persona conteste.

• No hablemos al mismo tiempo con alguien más, ni hagamos algo que requiera concentración (para aprovechar el tiempo) mientras estamos en el teléfono; la gente nota que estamos distraídos y es una descortesía.

• Si nos interrumpen mientras estamos en la línea, digamos: "Permíteme, tengo que ver algo" y disculpémonos al retomar la llamada.

• Si la persona extiende su conversación interminablemente, podemos decirle: "Señor Fulano, no le quiero quitar más su tiempo, es usted muy amable, hasta luego". (Sea despiadado con ellos.)

• No demos más importancia a la gente que está en el teléfono que a la que está físicamente frente a nosotros.

• No tratemos de manejar dos asuntos en una misma llamada, sobre todo cuando uno de estos asuntos es agradecer algo. Es preferible volver a llamar.

• Si marcamos un número equivocado, disculpémonos amablemente en lugar de colgar de manera brusca.

• Cuando una persona ha tomado la llamada, pregunte si es un buen momento para hablar, o si se comunica más tarde.

• No comamos nada, ni mastiquemos chicle al hablar por teléfono. Los sonidos que producimos le llegan amplificados al que escucha y es muy molesto, además de que damos la impresión de no estar atentos.

• Sonriamos cuando hablemos por teléfono. Aunque la gente no nos ve, sí puede "escuchar" nuestra sonrisa. (Ojalá todas las telefonistas lo hicieran.)

• No permanezcamos callados cuando alguien nos está platicando algo; esto saca de balance a la persona. Debemos hacerle comentarios que le hagan saber que "lo estamos siguiendo", como "¿de veras?", "sí", etcétera.

• Si hacemos una llamada y se corta la comunicación, es nuestra obligación llamar otra vez.

• Si estamos de visita en una oficina y entra una llamada, debemos ofrecer salirnos.

Si nos dice que no es necesario y que sólo le tomará un minuto, entonces revisemos algún papel personal o el periódico; no nos quedemos viendo a la persona o sin hacer nada. (Ahora, que si se empieza a tardar, quédesele viendo, a ver si lo presiona y cuelga.)

Si la conversación toma un giro personal, hay que salirnos inmediatamente, haciendo una señal de que esperaremos afuera. La persona agradecerá nuestra sensibilidad.

• Iniciemos y terminemos la conversación con un comentario amable.

Si tomamos en cuenta estos detalles aparentemente sin importancia, esto hará que nuestras relaciones públicas mejoren. Y ¿quién puede aspirar a tener amigos o a ascender en una carrera profesional sin ellas?

4. Los teléfonos celulares...¿una imprudencia?

No cabe duda de que el teléfono celular es uno de los avances más prácticos y maravillosos de la tecnología. ¿Qué hacíamos antes sin celular? ¡No sé cómo pudimos subsistir! Sin embargo, no podemos negar que también se ha convertido en una invasión terrible que debemos dosificar.

Cuando estamos en un restaurante, ¿cuántas veces a lo largo de la comida escuchamos sonar un celular? Y todo el mundo revisa si no es el propio. Hay personas que creen erróneamente que el poner un celular en medio de la mesa de un restaurante es algo que da "categoría". Por el contrario, lo ideal es dejarlo en el auto, a menos que esté usted esperando una llamada muy pero muy importante.

Asimismo, no debemos hacer llamadas a un celular a la hora de la comida, pues ésta es un momento de descanso que sirve para comunicarnos físicamente con el otro, y esto se interrumpe al sonar el celular.

Resulta muy práctico usarlo en los tiempos muertos del día, por ejemplo durante las horas de tráfico (si tiene usted chofer), en la antesala o esperando a alguien. Pero por favor, no marque, maneje y hable al mismo tiempo porque va a chocar. Use el aparatito que se llama *hands off*, que es un altavoz que le permite continuar con las dos manos al volante.

Cuando llegue a ver a un cliente o amigo a su oficina, apague su teléfono. La persona que lo está recibiendo le está dando su tiempo, y usted no debe cometer la imprudencia de contestar la llamada de nadie.

Hay lugares en donde jamás debemos dejar el celular prendido, como en juntas, en la misa, en el cine, teatro, en un concierto, en una conferencia o clase y en el gimnasio. Contrate un servicio donde le tomen sus recados y repórtese después. En el momento en que el teléfono suena, saca a todo mundo de la concentración o atención que tenía. Es verdaderamente una agresión al prójimo. Hay los que entran a una cita con el teléfono en la bolsa, y cuando suena dicen: "¿Sí, sí?, estoy en una junta, luego te hablo". ¿Esto los hará sentirse importantes?

Si usted espera realmente una llamada muy urgente, un buen detalle de delicadeza sería quedarse en la puerta o cerca de ella, para que cuando suene, pueda salirse inmediatamente.

Haga personalmente la llamada cuando ésta sea a un celular, y sea breve. Nunca lo debe comunicar una secretaria, ya que el tiempo que corre va también en la cuenta del otro.

Ahora, ¿cómo y en dónde se lleva el celular?

Hay gente que usa el celular como escudo, o como apoyo a su seguridad personal, y entra a cualquier parte con el celular en la mano, o se lo cuelga del cinturón de manera que se vea. Si usted tiene portafolio, debe ir adentro de éste. Si no usa y necesita traer el celular, puede ponérselo quizá en el cinturón por atrás, o si es chiquito, dentro de la bolsa de la camisa: la idea es que sea discreto.

Aunque el teléfono celular sea uno de los grandes avances de la tecnología, no olvidemos que hacer un mal uso de él puede llegar a ser una imprudencia.

5. La comunicación entre hombres y mujeres

La habilidad que tengamos para comunicarnos determinará en gran medida nuestra felicidad personal, ya que cuando nos comunicamos con efectividad, todas nuestras relaciones se facilitan y se fortalecen.

La mayor parte de los problemas que tenemos cotidianamente se originan porque no empleamos una buena comunicación.

Los conflictos más comunes de comunicación se dan entre hombres y mujeres, porque ambos tienen diferentes estilos de comunicarse.

Veamos las diferencias:

LAS MUJERES	LOS HOMBRES
1. Buscamos relacionarnos con los demás	1. Buscan el reconocimiento de los demás
2. Nos gusta la interdependencia y la cooperación	2. Buscan su independencia y autonomía
3. Buscamos compartir nuestros problemas	3. Son más reservados
4. Nos centramos en los sentimientos	4. Se enfocan más en los hechos
5. No dudamos en pedir ayuda, consejo o dirección	5. Son más reacios a pedir ayuda
6. Por lo general pensamos mucho las cosas antes de tomar una decisión	6. Les gusta decidir rápidamente
7. Buscamos la aprobación de los demás	7. Buscan el respeto de los demás
8. Añoramos la intimidad	8. Añoran su espacio
9. Buscamos entender los problemas	9. Buscan solucionar los problemas

Podríamos discutir horas sobre si estas diferencias son innatas o aprendidas; sin embargo, no podemos negar que estas diferencias existen. El percatarnos de ellas nos permite entender mejor a la otra persona.

¿Qué puede hacer el hombre para comunicarse mejor?

1. Conéctese con las personas: por ejemplo, cuando llegue a su casa, platique con su familia un rato antes de irse a la televisión, a la computadora o al refrigerador.

2. Comparta sus problemas: comuníquele a su compañera que algo le preocupa o le inquieta. Lejos de que ella lo perciba como debilidad, esto los va a acercar más.

3. Si quiere ser más interesante para una mujer, contéstele de verdad a la pregunta: "¿Cómo estás?" No sólo conteste: "Bien, bien todo está bien". ¿Por qué no trata de compartir con ella sus preocupaciones?

4. Rompa la barrera que le impide solicitar ayuda o consejo y tome en cuenta a las personas. Véalo como una manera de acumular información o puntos de vista.

5. A las mujeres nos gusta sentirnos apreciadas y aceptadas, y nos gusta que nos lo digan con frecuencia. Hágalo de vez en cuando, no como aquel matrimonio en que ella pregunta a su esposo: "Viejo, ¿me quieres? Él le contesta: "Hace 15 años que te dije que te quería y no he cambiado de opinión". Verá cómo la mujer, al sentirse reconocida, le devuelve ese aprecio con creces.

6. Cuando una mujer le platique un problema, más que decirle cómo resolverlo, escúchela con atención y hágale sentir que la entendió. En realidad no busca su consejo, sino sentirse escuchada.

Intente estas técnicas y practíquelas…

Le pueden garantizar que al comunicarnos mejor, nuestras relaciones se fortalecerán… especialmente aquellas en las que se involucran hombres y mujeres.

6. Cinco formas de comunicación de la pareja

La relación de pareja no es el único tema importante que nos afecta en la vida; hay muchos otros frentes que nos desafían. Incluso hay otros temas que a lo mejor son más urgentes.

Sin embargo, creo que se trata de un tema que define la calidad de nuestro ser y de nuestra vida. Sobre todo la calidad, en cuanto a ese termómetro que marca la felicidad o la infelicidad. Probablemente la mayor cantidad de alegrías que vivimos en el transcurso de la vida son alegrías de amor. Y la mayoría de las penas son también penas de amor.

La única manera en que nutrimos cualquier relación es a través de la comunicación. No podemos amar lo que no conocemos.

La comunicación en pareja abarca varios aspectos, a través de los cuales podemos lograr ese acercamiento.

Existen cinco formas de acercamiento:

1. La comunicación intelectual. Cada vez que nos sentamos a platicar y expresamos nuestras ideas, nuestros conceptos, lo que pensamos acerca de tal o cual cosa, estamos fortaleciendo esa relación. El simple hecho de compartir lo que leímos en un libro nos acerca. El hablar de política, el conocer los puntos de vista del otro y respetarlos, el compartir experiencias que vivimos en el trabajo, etcétera. Todo lo que sea compartir ideas nos acerca.

2. La comunicación emocional. Tiene su propio lenguaje, se refiere al tono de voz que usamos al hablarle, a la mirada que se intercambia cariñosamente, la sonrisa compartida, el contacto físico (abrazos, caricias, apapachos), cualquier detalle a nivel emocional que demuestra que te ocupas de tu pareja. Por ejemplo, levantarte a media noche y no hacer ruido, o abrirle la puerta del coche.

En fin, la ternura y la admiración son la clave para tener una mayor fuerza emocional.

3. La comunicación motriz. Ésta se da cuando compartimos una actividad, como bailar, salir a correr, andar en bici, hacer deporte juntos, o el simple hecho de ir al cine, a un museo, salir a comer una vez a la semana solos. Divertirse juntos, compartir alegrías fortalece enormemente la comunicación. Hay que buscar, que crear, esos momentos, ya que no llegan solos.

4. La comunicación instintiva. Ésta se da a través de los sentidos, la atmósfera, el entorno que nos rodea en la casa. El disfrutar de sabores, aromas, colores y temperaturas. Cuando logramos una mayor afinidad en estos aspectos, estrechamos lazos que crean identidad.

5. La comunicación sexual. Es la manifestación íntima del amor. La pareja debe vivir conquistándose y teniendo presente que si se deja abandonada la plantita, o damos por un hecho de que ahí está segura, en cualquier momento se puede perder. En el amor soñamos mucho y trabajamos poco.

Es importante mantener esa ilusión de novios, y no hacernos parásitos del amor, donde se cree que lo único que se requiere es el encanto personal, y no es así. Enrique Cueto dice: "El amor no existe, sino el gerundio estar amando", cada momento de todos los días. Cuando una pareja decide hacer la vida junta, la historia del amor está en sus manos. No es magia, hay que construirla. Cuando nos casamos, comenzamos literalmente a hacer el amor.

Si procuramos practicar estas cinco formas de comunicación cotidiana, creceremos juntos en pareja, logrando así fortalecer el amor.

CAPÍTULO X

ETIQUETA DEL EJECUTIVO

1. ¡Sea un excelente compañero de trabajo!

Si hacemos un recuento de las horas activas a lo largo de nuestra vida, nos sorprenderá darnos cuenta de la cantidad de tiempo que pasamos en la oficina o en el trabajo conviviendo mucho más con nuestros compañeros que con nuestros familiares o amigos.

Entonces, valdría la pena detenernos y preguntarnos: ¿Cómo nos ven nuestros compañeros de trabajo? ¿Qué opinan de nosotros? Creo que a todos nos gustaría que nuestros compañeros dijeran: ¡Fulano es un tipazo! Para que esto suceda, se necesita esfuerzo, como en todo lo que vale la pena; y está en nosotros lograr que ese tiempo sea agradable. Cuando consideramos a alguien "un tipazo", es porque tiene una serie de atributos merecedores de esta expresión:

1. Siempre recibimos de él un trato amable y cortés, sin importar si es el director, el gerente o la persona de limpieza. Invariablemente tiene una palabra amable y un saludo para todo el mundo.

2. Si algo se le presta lo regresa rápido y en buen estado, ya sea dinero, plumas o libros.

3. Llegada la ocasión muestra su compañerismo, por ejemplo: cubriéndonos ausencias, contestando el teléfono. Me ha tocado ver secretarias que aunque suene insistentemente el teléfono del escritorio de junto, no lo contestan porque no les toca, pero esa persona... "el tipazo", sí lo hace. No espera más que le paguemos con una sonrisa.

4. Evita siempre el chisme y se le conoce como alguien que no tiene tiempo para "rumores". No habla mal de nadie, y defiende a compañeros a quienes se juzga injustamente.

5. No es adulador con nadie.

6. Da crédito a quien se lo merece y siempre, al hablar de logros, lo hace en plural: "nosotros hicimos", dando un sentido de equipo.

7. El tipazo no invade nuestro territorio, nunca lo encontrará abriendo cajones ajenos o tomando objetos personales de los demás.

8. Es una persona sencilla y aunque su capacidad sea notoria (intelectual o económica) nunca presume ni hace alarde de ello. No tiene doctorado en "todología" y resiste esa tentación del ser humano de hablar de sí mismo. Nos pide nuestra opinión y al conversar tiene la delicadeza de preguntar: ¿y tú?

9. Nos hace sentir importantes al no olvidar los detalles que nos halagan, por ejemplo: nos escribe una tarjeta de cumpleaños, o de repente llega con una bolsa de galletas para compartir con todos... detalles que muestran su calidad humana.

10. Es alegre, y no me refiero a que sea simpático, sino alegre, entusiasta, transmite emoción por la vida y por él mismo, sabe reír.

Estimulemos a quienes nos hacen amables esas horas, ya que, si nos esforzamos por complacer al cliente, si nos esmeramos por quedar bien con el jefe, ¿por qué no hacer nuestro mejor esfuerzo por ser amables con quienes pasamos la mayor parte del tiempo activo de nuestras vidas, es decir, nuestros compañeros de trabajo?

2. ¿Cómo tratar a una mujer en los negocios?

Cada día se incorporan más mujeres al mundo de los negocios, y no siempre los hombres se sienten seguros de cómo proceder con ellas.

En el campo social, no hay la menor duda de cómo un caballero debe conducirse con una mujer.

Sin embargo, en una relación de trabajo, donde se está llevando un trato de igual a igual, con frecuencia surgen muchas dudas, como:

• Cuando invita una mujer a comer, ¿quién debe pagar la cuenta?

Si la mujer es la que invitó, además de que ella debe escoger el vino, debe anticipar la tarjeta para pagar la cuenta (de preferencia, sin que se note).

Es mejor pagar con tarjeta, porque es menos incómodo para el hombre que en efectivo, porque da la idea de que es la compañía la que está pagando.

Ahora, creo que en la relación de trabajo "hombre-mujer", es más propio, menos complicado y más económico ir a desayunar que a comer.

• En una sala de juntas, donde se encuentran cuatro directores de área, tres son hombres y una mujer... llega el presidente de la compañía. Los hombres se paran a saludar, ¿se debe parar la mujer?

La respuesta es, por lo general, sí; todos se deben levantar, y la mujer se está levantando no porque el recién llegado sea hombre, sino por el puesto que ejerce.

Ahora bien, si el presidente es un hombre joven, y el protocolo interno es muy informal y relajado, puede no levantarse.

¿Se debe poner de pie el hombre cuando entra una compañera de oficina?

Los hombres latinos son particularmente caballerosos con las mujeres, lo cual en verdad se agradece. Sin embargo, hay detalles en el trabajo que no necesariamente tiene el hombre que llevar a cabo, sin que por ello se vea descortés, como:

• No tiene que levantarse cuando la mujer entra a un lugar, ni quedarse parado hasta que ella se siente.
• Ni ayudarla con su saco.
• Tampoco prenderle el cigarro.
• Ni cargarle algún paquete.
• Ni ayudarla con la silla.
• Ni pararle un taxi, o escoltarla.
• Ni ordenar la comida por ella.

Ahora bien, la mujer debe tener la actitud de no estar esperando esos detalles. Sin embargo, sí hay detalles que son verdaderamente muy molestos y hay que evitar.

Los nuncas

• Coquetear con la mujer, o ser demasiado galante con ella.
• Hablar de temas personales.
• Hacer referencia a su físico.

- Llamarle "chula", "linda", "reinita", etcétera (eso verdaderamente puede poner de mal humor a una mujer en el trabajo).
- Revisarle indiscretamente el cuerpo.
- Olvidar presentarla.
- Sentarse en una mesa de vidrio, y verle las piernas a través de los documentos.
- No tomarla en serio, o creer que no es capaz, sólo porque es mujer (sin que suene feminista).
- Decir malas palabras, o bromas de mal gusto, enfrente de ella.
- Saludarla de beso cuando la acaba de conocer.

Por su parte, la mujer debe asumir una actitud en la que se entiende que no espera este tipo de detalles. En fin, creo que estamos desarrollando todavía este nuevo protocolo, al cual ambas partes nos debemos adaptar, ¿no cree?

3. ¿Es una persona con tacto?

Hay un momento para todo. Lo que nos parece apropiado en un determinado momento se convierte en una imprudencia en otro. Esto se encuentra tan relacionado con la cortesía y las buenas maneras, que casi no podemos separar un aspecto de otro.

Quienes tienen la virtud de poseer tacto para decir y hacer las cosas tienen una gran inteligencia emocional, y es un verdadero placer convivir con ellas. Esta maravillosa habilidad es muy notoria tanto por su ausencia como por su presencia.

A continuación veremos una lista de las formas más comunes en que una persona puede mostrar su falta de tacto:

1. Presumir de una amistad para solicitar un favor

2. Hablar fuera de tiempo, cuando es mejor quedarse callado

3. Interrumpir a los otros cuando están contando algo

4. Al comenzar cada frase con el pronombre personal "yo"

5. Hacer preguntas impertinentes con el propósito de impresionar al otro

6. Introducir temas muy personales en la conversación, que apenen a los demás

7. Presentarse en un lugar donde no fue invitado

8. Cuando se va vestido de manera poco apropiada, a propósito o por flojera

9. Llamar después de la 10:00 p.m. o antes de las 9:00 a.m. a una casa

10. Hablar con alguien por teléfono por horas sin un propósito importante

11. Solicitar la opinión de una persona sobre cualquier tema, sin considerar si tiene conocimiento de él o no

12. Hacer una llamada de larga distancia en un teléfono que no es nuestro

13. Hablar mal de una persona enfrente de sus amigos

14. Comentar sobre alguna limitación física de una persona o quedársele viendo

15. Llamar la atención a alguien enfrente de los demás

16. Descuidar el tono de voz en el que se habla, usando frecuentemente un tono brusco y agresivo

17. Hablar y expresarse todo el tiempo con groserías

18. Disgustarse por motivos insignificantes

19. Señalar constantemente las enfermedades o desgracias propias o de los demás

20. Mostrar demasiada familiaridad en una situación formal

21. Escribir una carta demasiado familiar a alguien que apenas nos conoce

22. Salir frecuentemente con amigos, y hacerse siempre el desentendido a la hora de la cuenta

23. Ser una persona que suelta nombres de gente importante como si fueran sus íntimos amigos

24. Ser el "mudo" en el teléfono, y llamar veinte veces al día

25. Referirse a las personas que nos ayudan en la casa con términos despectivos

26. Hacer esperar a una persona por más de media hora

27. Burlarse de alguna manera de una persona con menos educación

28. Hablar en voz alta durante un evento donde todos quieren escuchar

29. Pedir "aventón" al salir de una fiesta a las 2:00 de la mañana

30. Ser la persona que nunca lleva cigarros y siempre fuma de los demás

Si estos detalles le parecen pequeños o sin importancia, pregúntese si le gustaría que lo asociaran con sólo tres de ellos en forma frecuente. Estos pequeños detalles revelan una enorme falta de percepción y consideración, que reduce enormemente a una persona ante los demás.

Vivir de manera responsable es un acto de inteligencia y de integridad. La recompensa que ofrece el ser prudente y tener tacto en nuestra vida para con los demás es el cariño y el deseo de los demás por nosotros. ¿Qué tanto tacto tiene usted?

4. "El miedo de los miedos": hablar en público

La sala está silenciosa... el auditorio espera, el corazón late fuertemente, la boca y la garganta están totalmente secas, las manos sudorosas y la mente repentinamente en blanco... Éstos son algunos de los síntomas más comunes que experimentamos al hablar frente a un público. Hay pocas situaciones tan tensas como ésta y, sin embargo tan gratificantes... si salimos airosos del compromiso.

El hablar en público nos aterroriza a la mayoría de los seres humanos. En el Libro de las Listas está catalogado como el miedo número uno que tenemos, si lo comparamos con el miedo a la muerte, que ocupa el cuarto lugar. Quizá porque la muerte la sentimos muy lejana y hablar en público en cualquier momento puede suceder. Así que es mejor prepararse para ello, ya que estamos en una época en la que cada vez es más frecuente que los directores, miembros de alguna organización o personas con algún cargo se vean obligados a tomar la palabra, y no podemos permitirnos el no estar preparados para ello.

Sucede también que cuando estamos reunidos con los amigos o en situaciones de trabajo, nunca falta la persona de gran iniciativa que menciona nuestro nombre invitándonos a decir unas palabras cuando no estamos preparados para ello.

¿Qué hacer para salir bien librado de esa situación?

Lo primero que vamos a sentir es que las piernas nos van a temblar. Una razón es que no estamos preparados, y la otra es que eso le sucede a todo mundo.

La razón por la que nos sentimos así es porque nos da miedo exponernos, enfrentarnos a la mirada de la gente, a la posibilidad de hacer el ridículo. Una vez escuché a mi compañero Javier Solórzano decir que "quien expone se expone", y eso es precisamente a lo que le tememos.

El miedo es la respuesta natural del cuerpo a tomar acción, a enfrentarse a algo, y los grandes oradores coinciden en que esa sensación de miedo es más bien respeto, y éste nunca se quita ni se debe quitar. Lo importante es aprender a dominarlo.

Al escuchar su nombre, levántese pausadamente con desenvoltura, actuando como si estuviera de lo más tranquilo. "Asume una actitud y terminarás con ella." Asuma que está tranquilísimo. El apoyar los talones fuertemente al caminar lo va a ayudar a sentirse así.

Si al llegar al estrado o podio tiene que sacar una tarjeta, unos lentes o hay que ajustar el micrófono, hágalo con una lentitud deliberada, ya que cuando estamos nerviosos se nos nota mucho en las manos.

Hay que estar advertido de que lo primero que nos asusta es escuchar nuestra propia voz a través del sistema del sonido.

Nunca se disculpe de nada, nunca diga: "Es que yo no sé hablar en público" o "No estoy preparado", etcétera. Ya está usted al frente y hay que sacar el toro adelante.

Una buena forma de empezar es agradeciendo la invitación, o mencionar la razón por la que se están reuniendo. Si usted tiene la gracia de decir un chiste, hágalo; si no la tiene, por favor no lo haga.

Hay que respirar hondo, enderezarse y ver a los ojos de las personas por unos segundos, eso los pone en disposición de escuchar.

Hay veces en que nos dan ganas de cortarnos las manos, y éste tipo de ocasiones es una de ellas. Si está en un podio puede asirse de él, o presionar en la mesa la yema de los dedos. Esto nos ayuda porque así tenemos un punto por donde se descarga la energía. Es por eso que hablar sentados frente a los demás es menos presionante, ya que tenemos más puntos de contacto del cuerpo con otra cosa. De pie, lo único que tenemos en contacto son las plantas de los pies, y si bien nos va, con el podio. En caso de que no tenga nada, lo peor que puede hacer es sacar una hoja de papel para leerla. En una ocasión presencié, en una inauguración frente a gente muy importante, que el director se paró con su hojita de papel y empezó a temblar y la hoja a sonar junto con él. ¡Me dio pena ajena!

Si el orador se muestra tranquilo, el público está tranquilo también; si está nervioso, el público se pone nervioso por él.

No trate de hablar con frases muy elaboradas y rimbombantes o pronunciar frases acuñables, eso está pasado de moda. La gente quiere que hablemos *con* ellos desde el corazón, en forma clara, directa y sincera, no que hablemos *para* ellos.

Si de antemano usted sabe de qué va a hablar, lo peor que puede hacer es aprenderse de memoria su discurso. Ya que una palabra o frase que se le olvide puede echarle a perder todo. Sólo escriba una palabra que le recuerde la idea o, lo que es mejor, haga un dibujito de la idea, y verá cómo de esa manera la mente recordará mejor.

Lo peor que podemos hacer es leer un discurso. Le puedo garantizar que el 100% del auditorio está pensando en otra cosa. No lo haga, se oye frío y decadente.

Hable claro y fuerte, ya que, como un amigo comenta:

- sólo oímos la mitad de lo que se dice,
- escuchamos la mitad de los que oímos,
- entendemos la mitad de lo que escuchamos,
- creemos la mitad de lo que entendemos,
- y sólo recordamos la mitad de lo que entendimos.

Tengamos un orden y mostremos a los demás la ruta por la que vamos a transitar. La gente nos puede perdonar muchas cosas cuando estamos allá arriba, como el que estemos un poco nerviosos, el que nos equivoquemos en un dato, o nos tropecemos. Sin embargo, lo que no nos perdona es cuando nuestro discurso no tiene pies ni cabeza, cuando nos metemos en un jardín y no sabemos cómo terminar. Tengamos siempre un orden en las ideas.

Los discursos más efectivos son los que terminan antes de que la gente lo desee. Hay que ser breves.

Cuando vencemos ese miedo de hablar en público, esto repercute en todo lo demás que desarrollamos: nos sentimos más confiados y seguros. Tengamos en cuenta que los grandes oradores empezaron también por el principio.

Hay que prepararnos, tomar clase de oratoria, entrenarnos poco a poco con la familia o con pequeños grupos, ya que nunca sabemos cuándo nos va a tocar hablar en público, y tenemos que hacer el mejor papel.

5. La nada fácil tarea de llamarle la atención a alguien

Todo ejecutivo que tiene gente bajo su mando tiene que evaluar el desempeño de la persona que colabora con él y dar, de vez en cuando, un consejo o una crítica acerca del desarrollo de sus funciones.

Esta tarea nada placentera se tiene que hacer con el mayor tacto posible, teniendo en mente que a nadie le gusta ser criticado, o que le digan sus errores y fallas.

Es importante tomar en consideración algunos consejos que se encuentran en libros como el de *Dale Carnegie*, y que con frecuencia olvidamos:

• Juzgue a todos con las mismas bases, no muestre favoritismo.

• Empiece elogiando las cualidades que encuentre en la persona, antes de criticarla.

• Hable de sus propios errores, antes de mencionarle los suyos a la otra persona.

• Dígale las cosas negativas en una forma clara y pausada, para que no haya duda de que está entendiendo mal.

• Critique el desempeño, no a la persona. (Es totalmente diferente.)

• Permita que la persona salve su propio prestigio, déle todo el tiempo que necesite para protestar o explicar su conducta.

• Cuando critique, siempre sugiera la forma en la que puede corregir su desempeño.

• Tenga la delicadeza de hacerlo siempre en privado, a puerta cerrada y en un lugar tranquilo.

• No lo haga con prisa o presionado.

• Aliente a la persona, haciéndola sentir que los errores son fáciles de corregir.

• Cuando note alguna mejoría, elogie hasta el más pequeño progreso. (Que fácil es encontrar lo malo y cómo pasa desapercibido lo bueno que alguien hace.)

• Atribuya a la otra persona una buena reputación para que se interese en mantenerla.

• Algo que debemos considerar es hacer preguntas en lugar de dar órdenes.

Cuando la crítica se hace en forma negativa y sin tomar en consideración lo anterior, es peligrosa, porque lastima el orgullo, que es algo tan frágil en la mayoría de las personas, hiere su sentido de importancia y despierta su resentimiento. En cambio, la crítica constructiva motiva a la persona a superarse.

Se ha comprobado además, que si se quiere modificar la conducta de alguien es mejor premiar lo que hace bien en vez de reprimir lo que hace mal.

Que fácil es leer lo anterior, y que difícil es acordarnos de ponerlo en práctica.

6. Cuando haga un viaje de negocios, ¡véase internacional!

El éxito de su viaje va a depender en gran parte de lo que empaque en la maleta.

Para la mayoría del mundo usted es un extraño. Nadie lo conoce, nadie sabe lo culto, lo preparado, lo eficiente que es. Pero según la manera en que se presente, la gente que lo conozca va a formarse en sólo dos segundos una idea muy clara de usted y de la compañía que representa.

Cuando un hombre de negocios tiene que viajar y enfrentarse a una cultura distinta, a gente desconocida, a costumbres diferentes, debe tener en mente que la primera impresión es determinante para el buen logro de su trabajo.

Hay varios factores que el viajero negociante debe considerar:

1. Según el lugar al que vaya, la gente de negocios viste diferente. Ellos, como usted, están condicionados por su medio y lo van a juzgar bajo sus estándares. El clima y las características del lugar afectan la forma de pensar del habitante, así como la forma de vestirse, y usted debe adaptarse a cada uno de ellos.

2. Si nunca ha ido anteriormente a ese estado o a ese país, su mejor opción es vestir conservadoramente. El ochenta y cinco por ciento de las grandes empresas internacionales visten en una forma tradicional y conservadora.

3. Algo que no le gustaría hacer es llegar vestido de manera ostentosa mostrándose a sí mismo como superior, como proveniente de una compañía, ciudad o país más sofisticado.

Si usted vive en una gran ciudad y va a viajar a otra menos sofisticada, y quiere llevar exitosamente a cabo un negocio, tenga la sensibilidad de no usar prendas o accesorios que lo manifiesten, como una corbata Hermes, o llevar pañuelo de seda en la bolsa del saco, o camisa de mancuernas, ya que lo rechazarán con sólo verlo.

Pero si la razón de su viaje es presentarse como el "experto" en la materia ya que va a dar una asesoría, o va a dar una conferencia, entonces sí puede y tiene que vestir como tal.

4. Su ropa tampoco debe mostrarlo como alguien inferior, sin prestigio, autoridad ni poder al cual no se le pueden confiar tareas

importantes. Recuerde tirar o regalar sus trajes café y sus camisas beige; tampoco se vista con un bajo contraste de color, como saco verde claro, camisa amarilla paja y corbata beige, ya que es exactamente el efecto que provocan.

5. Sucede también que hay detalles en el vestir que lo hacen verse muy "lugareño", por los cuales se puede identificar de qué parte del país proviene. Esto se debe evitar.

En ciertos lugares, por ejemplo, la gente suele vestir con detalles que en su ciudad o región se usan, como cinturones de hebilla ancha, combinando traje con botas, o usando corbata con camisa de manga corta, que en cualquier gran ciudad se verían muy mal.

Cuando viaja de negocios, usted representa a su empresa y a su país.

6. Actúe según se espere de usted. Si usted representa una importante casa de bolsa y tiene que viajar a Nueva York para tratar con gente de Wall Street, es importante que se vea como una persona "internacional" que sabe de inversiones.

7. Desde que se suba al avión, debe ir perfectamente bien vestido, ya que no sabe si lo van a recibir a su llegada, o si en el mismo avión vaya otra persona con la cual va a tratar posteriormente.

8. Vaya adonde vaya hay detalles que siempre debe cuidar, como no llegar con el traje arrugado, que éste no sea de poliéster, que su corbata siempre sea de seda, llevar los zapatos en buen estado y perfectamente impecables, no llevar joyería ostentosa, etcétera.

Un viajero con experiencia es consciente de estas ocho reglas y sabe que su imagen puede ser su mejor atributo, y también sabe que el verse mal le puede costar mucho dinero.

Cuando viaje no olvide lo anterior, y le ayudará a llevar a feliz término sus negociaciones.

Cómo y qué empacar cuando viaje de negocios

¿Qué maleta me llevaré? ¿Qué debo empacar? Éstas son las preguntas que con más frecuencia se hacen los ejecutivos cuando tienen que hacer un viaje de negocios.

Empacar bien es muy importante, ya que usted no puede presentarse a su junta con el traje arrugado, o con un traje de lana si hace 40 grados.

A continuación le doy algunas sugerencias muy prácticas para cuando haga este tipo de viajes.

Para un viaje de tres días de una persona que va a vender algo o se desenvuelve en el área financiera:

• Toda persona que se precie de saber viajar sabe que empacar lo más ligero posible es una imperiosa necesidad. Al cargar la maleta, se va sintiendo cada vez más pesada, conforme pasamos de terminal a terminal, o del taxi al hotel, o va avanzando la hora del día. Así es que debemos ser muy prácticos.

• Como los viajes de negocios suelen ser viajes relámpago, es mejor que no envíe su maleta con el equipaje, por el valioso tiempo que se ahorra. Aunque en realidad ya no se tardan tanto.

• Lo más práctico es una trajera o una maleta de ruedas tipo piloto, si es que por alguna razón no lleva trajes. Le recomiendo que sus maletas estén en perfecto estado, y de preferencia que sean de piel.

• El día que viaje, vístase de combinación, para que se vea y se sienta cómodo, pero no menos formal. Nunca sabe quién va a viajar en el mismo avión, o si se encuentre a algún compañero del ramo al llegar al hotel.

• Averigüe el tipo de clima que le va a tocar.

• Empaque dos trajes conservadores en gris y azul marino.

• Lleve dos camisas blancas para cada día, y dos adicionales por si sale en la noche, y que éstas sean de mancuernillas muy sencillas.

• Cuelgue cada camisa con su traje y con la corbata que le va a combinar, evite las corbatas muy modernas o llamativas, las conservadoras siempre son apropiadas en cualquier medio o país.

• Lleve un par de zapatos azul marino, y unos negros de agujetas e introduzca los calcetines que va a usar con cada par.

• Si es un lugar de playa, o de mucho calor, donde nadie usa traje, lleve tres camisas de lino de manga larga, nunca de manga corta. Evite los colores chillones, manténgase con colores neutros y lisos, que son más elegantes (blanco, gris claro o beige).

• Empaque un libro, además del material del trabajo.

• Cuando prepare sus objetos de aseo personal, repase mentalmente lo que acostumbra usar y así vaya metiéndolos en una bolsa apropiada y varonil; no hay nada que lo haga sentir más incómodo que olvidar algo, como cepillo de dientes, desodorante, etcétera.

No olvide que usted va no sólo en representación de su empresa, sino también como representante de su país, y la manera como usted se comporte y se presente, se plasmará en la mente de los que visite como de "todos sus compatriotas". ¡Buen viaje!

7. No olvide esto cuando viaje por avión

Viajar en avión, por negocios o por placer, es algo que cada vez se hace con más frecuencia, por las tarifas especiales, paquetes y promociones que nos ofrecen las líneas aéreas. Aunque el avión sea muy grande, el espacio reservado a cada pasajero es muy pequeño, así que tenemos que ser muy prudentes y respetuosos con los demás.

Sobre este punto entrevisté a varias sobrecargos que me aportaron las quejas más comunes y lo que a ellas en especial más les molesta.

• Tener en cuenta que si el viaje es fuera del país, cada uno somos embajadores del nuestro; llegar desarreglados difícilmente va a dar una buena impresión. Tampoco es apropiado el otro extremo: viajar de sombrero, traje sastre, o muy elegantes.

• No lleve bultos, cajas, bolsas de papel o plástico en la mano. De preferencia documente todo en una maleta o guarde sus cosas en un maletín de mano que pueda guardar en el lugar que le corresponde arriba de su asiento.

• Hay muchas personas que se quedaron con la costumbre de viajar con el *necessaire* en la mano, como se hacía cuando los viajes eran muy largos, en tren o en avión, con mil escalas. Es un tipo de maleta que ya no se usa, y se ve totalmente pasado de moda.

• Documente sus maletas grandes o las trajeras, ya que a la hora de abordar por el pasillo angosto del avión si va sobrecargado de maletas balanceándose en cada hombro y en busca de su número de asiento, suceden dos cosas: a los ya sentados les da de golpes con sus maletas, y estorba al resto de los pasajeros. Muchos deciden llevar el equipaje en la mano para no esperarlo al llegar, pero la verdad es que ya no se tarda nada.

• Si viaja con niños, comprendemos lo emocionante que es para ellos subirse a un avión, pero hay que controlarlos. No es tan simpático para el resto de los pasajeros que el niño vaya golpeando el asiento de adelante, abriendo y cerrando la mesita, que vaya gritando o se la pase corriendo por los pasillos. Es recomendable que le lleve una maletita con toda clase de distracciones para el niño, juguetitos, algo de comer y de beber. Además es un buen momento para contarle un cuento.

• Si van a pasar una película y piden bajar la cortina de la ventana y usted quiere seguir leyendo o trabajando, lo mejor es bajarla y prender el foco de arriba, porque la luz de la ventana es molesta para los demás.

• Si le toca un compañero platicador junto, y usted tiene que trabajar, quiere leer su libro, o simplemente no está de humor para sostener una conversación, dígale muy amablemente: "Qué pena, me encantaría seguir platicando pero tengo que acabar este trabajo para cuando lleguemos." Si en el vuelo tienen audífonos, lo mejor es ponérselos. Sin embargo, cuando sirven la comida, es un buen momento de ser amable con el vecino, ya que no podemos hacer nada más.

• Se aprecia enormemente dejar el baño limpio y no tardarse tres horas en él. En realidad se necesita de la cooperación de todos, sobre todo en vuelos largos.

• Cuando recline su asiento hacia atrás, hágalo con cuidado para no causar un desastre a la persona que está sentada atrás.

• Con la altura, el alcohol se sube más rápido, así que tengamos cuidado de no bajar pasados de copas.

• Ahora que ya hay teléfonos en los aviones, por favor no hable en un tono en que todo el avión se entere de sus cosas privadas.

• Por favor no juegue con aparatos electrónicos con sonido. Es muy molesto oír el "bip, tin, bip."

• No se quite los zapatos por ningún motivo, a menos que sea un vuelo largo y se ponga otros calcetines limpios sobre los que trae.

• Si viaja en compañía de una mujer, sugiérale que no se haga el manicure en el avión: hay mujeres que sacan su acetona, barniz y para finalizar su aerosol de pelo y perfume.

• No fume en la sección de no fumar o en los vuelos cortos, donde ya no se permite.

• Tomemos en cuenta que la principal función de los sobrecargos, para lo que están entrenados, es para ver por la seguridad de los pasajeros, y aunque servir una comida o una taza de café es parte de su función, no los monopolicemos. Cualquier otro detalle que pidamos es extra y debemos hacerlo con cortesía.

• Cuando se baje del avión procure dejar su asiento ordenado, debemos dejar la cobija doblada, el periódico apilado y no dejar envolturas de papel, chicles, servilletas en el suelo, etcétera. Al desembarcar, siempre agradezcamos a los sobrecargos y al piloto, si lo vemos.

No olvidemos que el espacio es pequeño, y que la cortesía y la prudencia harán a todos el viaje más placentero.

8. Los regalos en los negocios: lo que se debe hacer y lo que no

Si va a dar un regalo, piense bien lo que va a regalar, ya que este asunto, sobre todo en el mundo de los negocios, es un arte. El uso de la imaginación y que el regalo se vea bien elegido es mucho más importante que el costo del mismo.

Los regalos de negocios deben estar en la raya entre lo personal y lo impersonal.

Cuando un regalo se da oportunamente y con buen gusto, halaga al que lo recibe, ayuda a estrechar una relación de negocios o de amistad, y refleja el refinamiento y buen gusto de quien lo hace.

Cuando se hace inadecuadamente, usted queda en ridículo, puede molestar a quien pretende halagar, y representa un problema para la persona: ¿ahora qué hago con esto?

En los regalos de negocios

1. No mande regalos desproporcionados en costo, porque se arriesga a que no se los acepten, ya que pueden interpretarse como una especie de soborno.

2. Le sugiero que no regale agendas, ya que por lo regular los hombres de negocios reciben por lo menos seis de ellas. Y ya le regalan a la esposa, a la secretaria o al hijo, pero las restantes se desperdician, ya que la mayor parte de las veces tienen el nombre de la empresa grabado o de la persona a quien se le regaló.

3. No mande botellas de licor a todo mundo en su lista, se ve muy impersonal, a menos que le mande usted un par de botellas de la marca de vino que sabe que le gusta.

4. No mande un adorno, cuadro o litografía a alguien cuya casa jamás haya visitado, ya que es posible que sus gustos sean diametralmente opuestos a los suyos.

5. No trate de ser gracioso a costa de la otra persona, como regalarle un libro de dieta al colega gordito.

6. No regale prendas de vestir. Son demasiado personales. Sólo corbatas o mascadas son aceptables.

7. No obsequie cosas que ya tiene y le sobran, y si lo hace…siquiera renuévele por completo la envoltura y asegúrese de que esté nuevo.

8. Cuando desee quedar bien con alguien, investigue sus hobbies, el deporte que le gusta, o sus intereses personales.

(La mejor manera de investigar esto es a través de su secretaria o su esposa.) El regalo debe estar atractivamente envuelto.

9. Escriba siempre algo en la tarjeta, a mano de ser posible: "Gracias por sus atenciones", "espero que lo disfrutes", etcétera. Si la tarjeta va sin nada escrito a mano, el que lo recibe siente que se le dio un regalo con frialdad y para salir del paso.

10. Si usa la tarjeta de negocios, cruce con una raya su apellido, y haga alguna anotación… esto le da un toque muy personal.

Lo que siempre será bienvenido en época de Navidad

1. Un libro de arte o sobre un tema de actualidad, o una novela actual (García Márquez, Fernando del Paso o Juan Rulfo).

2. Canastas navideñas.

3. Nochebuenas naturales.

4. Un pavo.

Hay grandes compañías que han optado por algo muy sensato: donar lo que se tenía presupuestado para regalos a instituciones de beneficencia, y se envía al destinatario una tarjeta agradeciendo la cantidad que a su nombre donó.

En fin; en Navidad lo que cuenta es más el detalle personal. Un abrazo cálido, sincero, puede ser uno de los mejores regalos que se reciba.

CAPÍTULO XI

LA MESA

1. Protocolo en la mesa

Todos nos hemos encontrado algún día en situaciones muy formales, donde el protocolo en la mesa es tal que no estamos seguros de estar haciendo lo adecuado y acabamos copiándole al vecino, esperando que él sí sepa.

El saber cómo conducirnos en esas situaciones siempre es una ayuda en nuestra seguridad personal.

• Primero que nada, cuando somos invitados a una cena formal siempre hay que tener un detalle de atención con los anfitriones, ya sea enviar unas flores con anticipación (por favor, no llegue con las flores en la mano, ya que la anfitriona no va a saber en ese momento ni en dónde ponerlas), o llegar con una botella de vino.

• Antes de sentarse a la mesa, si no hay tarjetas con los nombres, hay que esperar a que la anfitriona asigne lugares y a que las mujeres se sienten primero.

• A la hora de servirnos, no hay que pasarle revista al platón; tome la cuchara con la derecha y el tenedor con la izquierda para servirse.

• La anfitriona es la que debe empezar primero a comer, y debemos esperar a que ella lo haga.

El conocer el protocolo en la mesa, sin duda, ayuda a su imagen. Una regla, los cubiertos se toman de afuera hacia adentro.

• Si se encuentra frente a un número interminable de cubiertos, no se preocupe, sólo vaya tomándolos de afuera hacia dentro y siempre en pares.

• Si es muy formal, es mejor no repetir raciones, tampoco debe hacerlo cuando se trajo el plato de la cocina ya servido.

• El pan se parte con la mano, sobre el plato y no hay que separar el migajón de la costra (por supuesto, no hay que hacer bolitas de migajón), y no lo debemos comer antes de que se sirva la sopa.

• No es apropiado fumar entre platillos.

• Cuando le sirvan el vino, nunca se debe tomar la copa de la parte de arriba, ni con el blanco ni con el tinto, se debe asir de la base, para no alterar la temperatura del vino. La única excepción es el coñac, cuya copa se calienta sosteniéndola entre la palma de la mano.

• El chocar las copas se hace con los amigos de confianza o familiares. En una situación formal sólo se levanta a la altura de los ojos, y se dice salud.

• Algo que mi abuelita me decía siempre es: la cuchara va a la boca no la boca a la cuchara, y ésta se debe introducir por la punta, no de lado.

• Las manos siempre deben ponerse sobre la mesa cuando no se utilizan.

- Si le sirven consomé, el cual se pasa ya servido en tazones, lo correcto es tomar con la cuchara los trocitos de pan o verdura, y con las manos llevar el tazón a la boca.
- No soplar ni remover los alimentos cuando están calientes.
- Si los pedazos de ensalada son muy grandes, podemos partirlos con el tenedor, no con el cuchillo.
- No hay que pasar los platos al mesero en la mano; esperemos a que él los recoja.
- Al terminar de cenar, deje la servilleta semidoblada sobre la mesa y regrese la silla a su lugar.

Algo muy importante: relájese y disfrute su comida. Como casi siempre este tipo de cenas tienden a tensar a las personas... procure comer despacio, para que no se indigeste.

2. Comidas de negocios

Muchos de los grandes negocios se inician en la mesa de algún restaurante. El hecho de compartir con alguien la misma mesa donde el ambiente es más relajado que en la oficina facilita las negociaciones; por eso son tan frecuentes y comunes las comidas de negocios.

Todos los empresarios saben que hay tres tipos de comidas, donde, según el caso, cambian por completo las reglas del juego, y éstas son:
- La primera es aquella donde el otro es el importante, ya que es el cliente, jefe, comprador, etcétera, y por lo tanto, usted invita.
- La segunda es aquella donde usted es el importante, ya que le van a ofrecer, vender o proponer algo, y es invitado.
- Y la tercera es donde el trato es de igual a igual, donde ya se conocen y ya se tienen muy bien establecidas las relaciones de trabajo, familiares o de amistad.

Cabe aclarar que las comidas de negocios, que duraban cinco o seis horas, donde el único propósito era "embriagar" al prospecto de cliente ya pasaron de moda. Esto me parece muy bien, ya que lo más probable es que al día siguiente, su futuro cliente no se acordará de nada y, por el contrario, se va a sentir muy mal.

En realidad, la comida es un flirteo donde antes que buscar vender un servicio, o un producto, lo que se propone es venderse usted mismo, ganar credibilidad, confianza, seguridad, etcétera, para causar una buena impresión y facilitar así las negociaciones.

A. *Cuando usted quiere vender algo e invita*

1. Reserve en un buen restaurante, donde lo conozcan muy bien, y haga la reservación a su nombre.

2. Pida que le den la mejor mesa, y de preferencia que esté en una de las esquinas, donde se puede ver todo el restaurante.

3. Llegue dos minutos antes, y en el momento que su invitado llegue, lévantese y extiéndale la mano. (Usted está jugando en su cancha.)

4. Ceda a su invitado el mejor lugar: la silla que está contra la pared, para que él tenga la mejor vista (esto lo hará sentirse tranquilo e importante).

5. De preferencia, que le quede a usted a su derecha, si es usted diestro, observe cómo se le da mejor la comunicación; a él lo tiene del lado izquierdo, que es su lado receptivo.

6. Al pedir el aperitivo, pregúntele a él primero qué es lo que gusta; si él pide un agua mineral, ni modo, usted también tendrá que pedir algo sin alcohol.

7. Si él no fuma, tampoco lo haga usted, ya que le causará una molestia (aunque diga que no le importa).

8. Inicie la conversación hablando de cosas en general, buscando puntos afines y que hable de sí mismo, que se sienta a gusto. Eso nos encanta a todos (lo que pasa es que pocas veces tenemos quién nos escuche).

9. No se le vaya a ocurrir tocar el tema de negocios para nada; éste rato es un flirteo, sólo se trata de que lo conozcan.

10. En México, al igual que en Francia y en España, se tratan los negocios hasta el café, pues se considera de mala educación hacerlo antes. Los norteamericanos, por el contrario, tienen la costumbre de llegar al restaurante, pedir un martini doble e ir al grano, mientras que los japoneses lo tratarán por algún tiempo indefinido, para conocerlo mejor, antes de que le propongan algo.

11. Pregúntele qué le parece si acompañan la comida con un buen vino. Si acepta, pida la lista de vinos y no escoja entre los más caros ni entre los más baratos, sino alguno que esté en precio promedio, y pídalo con mucha seguridad. Ahora, si su respuesta es "no, gracias", continúe con alguna bebida sin alcohol.

12. Ya que estuvieron a gusto por una hora, hora y media, ya se relajaron, se conocieron un poco más, se dieron algunos puntos de referencia, hablar de negocios les resultará mucho más fácil y natural.

13. La regla mágica es, no la olvide, que su invitado sienta que usted es quien se quedó muy bien impresionado, y no que fue usted quien lo impresionó a él.

14. Al pedir la cuenta, hágalo con una seña muy discreta, de manera que no ostente que usted está invitando.

Le aseguro que si usted fue un buen anfitrión, escuchó a su invitado, provocó que se relajara y, sobre todo, lo hizo sentirse importante, su invitado se llevará una excelente impresión, lo cual facilitará cualquier tipo de negocio.

B. Cuando usted es el invitado y quieren quedar bien con usted porque le quieren vender algo

1. Si usted tiene algún interés en la persona o en su producto, es mejor aceptar la invitación a comer; si no tiene mucho interés o de antemano cree que le va a decir que no, acepte mejor ir a desayunar. El desayuno suele tramitarse más rápidamente; llega un momento en el que sólo se piensa en todos los pendientes que se tienen en el día y ya no se está escuchando nada... así que si usted es el que quiere vender nunca invite a desayunar. En las comidas, sin embargo, ya se trabajó toda la mañana y se tiende a estar más tranquilo y receptivo.

2. En el momento de hacer la cita, si le preguntan a qué restaurante quiere ir, es mejor que diga el de su preferencia, porque quién sabe adónde lo vayan a llevar, a lo mejor le queda muy lejos, no le gusta el restaurante o el tipo de comida.

3. Es de cortesía llegar en punto a la cita, y si de casualidad el interesado llega tarde, ya estuvo que se le bajaron las probabilidades de venta en un 50%, a menos que tenga un muy buen pretexto.

4. Cuando es usted el posible cliente, es muy divertido ver cómo el otro va elaborando su plan de venta, cómo se conduce a lo largo de la comida, analizar las estrategias que está usando, sobre todo cuando ya se ha jugado el papel de vendedor.

5. No olvidemos que lo primero que se vende para convencer de lo que sea es la persona misma.

6. Si a usted no le interesa nada de lo que le están proponiendo, una buena manera de hacérselo sentir es al terminar de comer pida la cuenta y pague usted, aunque originalmente haya sido invitado, y cortésmente se despide. Es mejor para ambas partes ser muy claros, para evitar pérdidas de tiempo y dinero.

Sólo la experiencia y un sexto sentido nos van dando el "colmillo" para determinar qué y quiénes son convenientes para nosotros. Es probable que tomemos malas decisiones, pero así es la vida, y todos pasamos por fracasos antes de tener éxito.

C. Cuando el trato es de igual a igual

1. Cuando ya se conoce bien a la otra persona, por amistad o relación de trabajo, el proceder en estas comidas es totalmente natural y espontáneo incluso en el momento de pagar la cuenta, cuando se hace al parejo o se alterna en cada comida. Este tipo de comidas son las más agradables, son muy oportunas para frecuentar y dialogar con la gente que queremos o estimamos. La comunicación es lo más importante en una relación, y qué mejor que buscar la oportunidad de comer juntos.

3. Los modales en una comida de negocios

Los modales en la mesa son importantísimos en el mundo de los negocios. Tratos comerciales se han colapsado bajo el peso de torpezas de quien hace el trato. Compañías han perdido negocios porque el ejecutivo de cuenta no sabe comportarse en una cena o comida formal.

Todos podemos aprender observando cuidadosamente el comportamiento de alguien que tiene buenos modales, o leyendo libros al respecto. Por lo pronto, comparto con usted lo que sí y lo que no debemos hacer.

Los "sí"

1. Permita que el invitado elija el lugar y corra la cortesía de que esté cerca de su oficina.
2. Avise al restaurante si cambió el número de comensales.
3. El día de la comida el anfitrión debe confirmar la cita al invitado.
4. Llegue al restaurante antes que su invitado.
5. Aclare desde un principio que es una invitación (por lo que usted pagará la cuenta).
6. Haga la invitación por lo menos una semana antes.
7. Si usted eligió el lugar y hay una etiqueta en el vestir, hágaselo saber a su invitado.
8. Si por causas ajenas a su voluntad llega tarde, discúlpese al llegar.
9. Dé a su invitado el mejor lugar (la silla con brazos, la mejor vista, etcétera).
10. El invitado ordena primero.
11. Aunque usted sea abstemio, debe ofrecer vino y aperitivo a sus invitados.
12. Cuide el volumen con el que se habla en la mesa.

13. Se debe excusar si se retira de la mesa.

14. Debe ponerse de pie cuando una dama regresa a la mesa o sitio de reunión (si es difícil levantarse, debe hacer el ademán.)

15. El que propuso la comida debe pagar.

16. Seleccione el vino una vez que se hayan escogido los alimentos; éste no debe ser el más barato ni el más caro.

17. Una vez que descorchen el vino, le darán el corcho para detectar que no esté muy reseco o muy blando, y debe olerlo para comprobar que esté bien. Como anfitrión debe degustarlo antes de que se sirva.

18. Una vez aprobado, pida que le sirvan el vino primero a los invitados y al último al anfitrión.

19. Cuide los modales que siempre nos enseñaron de chicos, como no hablar con la boca llena, no poner los codos sobre la mesa, masticar con la boca cerrada, etcétera.

20. Como anfitrión, debe indicar la hora de retirarse pidiendo la cuenta.

Los "no"

1. No deje una invitación sin responder. Diga sí o no.

2. No cancele a través de su secretaria, hágalo personalmente.

3. No llegue tarde al restaurante.

4. No ponga el celular sobre la mesa.

5. No hable de dietas; si está cuidándose, sea discreto.

6. No vaya de mesa en mesa, aunque encuentre conocidos.

7. No salude de mano a otra persona, si está comiendo.

8. No fuerce la situación para que lo presenten con alguien en especial.

9. No entre revisando el lugar ni a los comensales.

10. No se siente en cualquier silla si viene en grupo; espere a que el anfitrión asigne su lugar.

11. No pida la copa puesta para prepararla en la mesa; si es un restaurante formal explíquele al mesero cómo la quiere.

12. No pida como aperitivo licores como: coñac, brandy, anís, etcétera, que se toman sólo después de la comida.

13. No empiece a comer antes que su anfitrión. (Si es mujer, debe iniciar al mismo tiempo.)

14. No se levante en medio de la comida y deje su servilleta sucia a la vista de todos.

15. No se debe llamar la atención al mesero en público.

16. Si algo está mal, no muestre prepotencia.

17. No se debe mostrar insatisfacción por los alimentos o el servicio.

18. No ría estrepitosamente.

19. No hable sólo de negocios cuando los acompaña una persona que no tiene conocimiento de ellos.

20. No se distraiga si se sienta frente a un espejo.

21. No invada el espacio físico o moral del comensal, colocando manos, brazos u objetos fuera del espacio que le corresponde, o haciendo preguntas personales.

22. A ninguna hora pida "París a la medianoche" (coñac con refresco de cola); es la mejor forma de echar a perder cualquier coñac.

23. No fume entre platillos.

24. No olvide presentar a su comensal cuando alguien se acerque a saludarlo.

25. No corrija una cuenta frente a sus invitados; despídase de ellos y regrese a hacer las correcciones con el mesero.

26. No olvide agradecer si la otra persona pagó la cuenta.

4. Lo básico sobre vinos

Convendrá usted conmigo en que hoy necesitamos saber y conocer cuando menos un poco sobre los vinos de mesa, que cada vez se consumen más y que aparecen en los menús de todo restaurante, sugiriendo acompañar con alguno de ellos la comida.

El vino ha acompañado al hombre durante toda su vida, y en el conocimiento sobre los vinos existe mucho esnobismo; sin embargo, no cabe duda de que la "enología", que viene de "*enos*-vino, *logía*–tratado", es una materia muy seria e interesante.

Algunos datos interesantes acerca del vino

• ¿Sabe usted cómo se asoció el comer pescados con vino blanco? En el tiempo de los romanos no había refrigeración, y los pescados y mariscos se descomponían fácilmente. Ellos sabían que si acompañaban estos alimentos del mar con vino blanco, evitaban que les hiciera daño, además de la absoluta realidad de que la combinación de ambos es maravillosa. Ahora sabemos que la clorofila que contiene el vino blanco ayuda a destruir bacterias. Si usted observa hay vinos blancos jóvenes casi de color verde; esto es causado por la clorofila que contienen.

Le puedo decir que el vino blanco es el único que se puede verter hasta su última gota y que, contrariamente a la longevidad de los rojos, duran únicamente diez años en promedio y siempre se sirven fríos y los más afamados son en su mayoría de la Borgoña. También tienen excelente fama los blancos españoles, los italianos y por supuesto los blancos del Rhin, que son más dulces.

Los vinos rosados se toman en el primer año o muy jóvenes; si no, se tornan ambarinos y pierden mucho de su encanto. Éstos combinan mejor con ternera, pasta, platos ligeros y se sirven siempre fríos.

El vino rojo es el más importante de los tres, por la enorme variedad que hay y la cantidad de lugares en el mundo donde se cosechan.

• Los vinos rojos de más renombre son los franceses, que son cosechados en sus tres conocidas regiones: la Borgoña, Burdeos y el Valle del Rhin. Estos vinos son envasados en tres diferentes tipos de botella, lo que permite que de un solo vistazo nos enteremos de la región que proceden.

La botella del Borgoña es una botella desvanecida suavemente desde el vertedero hasta su fondo; en cambio, la botella de Burdeos acusa un marcado cambio abajo del vertedero a una línea recta hasta el fondo. Las botellas del valle del Rhin tienen un poco menos delicado su desvanecimiento.

Existe un cierto protocolo que se observa cuando se descorcha y se sirve un vino de mesa, acto que es necesario realizar:

1. No hay que agitar el vino, ya que tiene 300 componentes equilibrados entre sí. Hay que dejarlo reposar ya que éste se comporta como un ser vivo. Tras un viaje pesado nadie se encuentra en su mejor momento, y las sacudidas lo desarmonizan.

La botella de Burdeos (la primera) tiene un marcado cambio abajo del vertedero a una línea recta hasta el fondo. La de Borgoña, se desvanece suavemente desde el vertedero hasta el fondo.

2. Al servir el vino debe verse la etiqueta y no taparla con la servilleta.

3. Es parte del protocolo que el mesero presente y deje a su alcance el corcho de la recién destapada botella, para que si usted es un experto, al olerlo compruebe si está malo, bueno, oxidado o enmohecido; los vinos, por lo general, en ciertas condiciones se vuelven opacos y turbios, pierden su transparencia y sabor.

4. Si de lejos usted ve bien el vino, como sucede la mayor parte de las veces, dé las gracias sonriendo al mesero y déjelo de lado, ya que se pueden determinar sólo con el olfato las condiciones de todo género en que se encuentre el vino.

5. Si le dan a usted a catar el vino, y no siente mucha seguridad en hacerlo, cédale el "honor" a otro comensal.

Si usted quiere catarlo, lo correcto es pasear el vino por la boca, para sentir sus sabores.

Se deglute el vino, y hay que soltar el aire suavemente por la nariz para sentir si tiene sabor residual, que se encuentra en los vinos de calidad.

Aprender a catar es como aprender a nadar. Hay que practicar. Ahora, que "catar" no es alcoholizarse.

Disfrute muy lentamente del delicioso sabor del vino, y si en el futuro usted se interesa en conocer de vinos podrá encontrar mucha información sobre este apasionante y controvertido tema.

5. Los puros

Los puros son siempre acompañados de buenos momentos: alegrías, satisfacciones, celebrar encontrarse con los amigos, una tarde de toros, después de una buena comida, y sobre todo cuando se es papá por primera vez.

Hoy en día retomando nuevamente la importancia que en un tiempo tuvieron, una nueva generación de actores, ejecutivos de negocios, políticos y celebridades en el mundo deportivo, están restaurando su imagen positiva. El mensaje para quienes lo disfrutan es muy sencillo: un puro es de los placeres más grandes de la vida. Fumarlo es tomarse un tiempo para uno mismo.

Los puros son un producto artesanal frecuentemente comparado con el vino (aunque se salga de proporción) ya que el aroma y sabor depende directamente del tipo, tamaño y calidad de las hojas con las que se elaboró.

La planta del tabaco consta de siete partes: todas las hojas de estas partes tienen distinto sabor y color, siendo las más finas las hojas de enmedio, ya que las de arriba son muy grasosas por el exceso de sol, y las de hasta abajo tienen muy poco sabor. El arte de hacer un buen puro es la mezcla de estas hojas.

La elaboración de un buen habano es verdaderamente laboriosa, ya que toma no menos de 222 diferentes etapas desde su plantación hasta la distribución. Existen 42 tamaños de puros hechos a mano y son clasificados en 65 diferentes tonos. Son mujeres en su mayoría quienes elaboran el torcido de los puros en los países latinos como Cuba, Honduras, República Dominicana y México; por tradición hay alguien que les cuenta cuentos e historias mientras lo hacen para quitarle lo tedioso del trabajo. Los puros son empacados en cajas de cedro que terminan preservando e infundiendo su sabor en ellos. Además se ha comprobado que el fumar puro es mucho menos dañino que fumar cigarros, ya que no llevan nada químico, y no se le debe "dar el golpe" al fumarlo.

Algunos detalles sobre lo que es apropiado hacer con un puro: según Anwer Bati y Simone Chase en su libro *The cigar companion*.

1. Cuando compre un puro, es correcto presionarlo un poco para comprobar su frescura, pero no lo haga demasiado, ya que se pueden romper. Lo que no se debe hacer, según los expertos, es olerlo en la tienda, como tampoco calentar el puro a lo largo antes de fumarlo. Esto se hacía hace 100 años para quemarle la goma (de mal sabor) con que pegaban los puros sevillanos.

2. A los puros hechos a mano hay que cortarles la punta con una tijera especial o con una guillotina antes de fumarlos. Lo importante es que hay que hacerlo parejo.

3. Prenderlos con un cerillo de madera, o con encendedor de gas butano, nunca con encendedor de gasolina.

4. El si se debe dejar la etiqueta o "anillo" del puro para fumarse o no es un punto que se ha debatido mucho. Los ingleses piensan que es ostentoso dejársela, que no es de clase. Sin embargo, el resto de los europeos, latinos y americanos piensan que se debe dejar, además de que proporciona un tema de conversación. "Oye, estás fumando un…" sólo que si decide quitárselo, el puro debe estar prendido, para que con el calor se facilite el desprender el anillo sin dañar la hoja exterior.

5. El fumar un puro antes de la comida no es lo más adecuado, ya que le quitará el apetito y no distinguirá los sabores.

6. Sólo es apropiado prenderlo, ya que todo mundo terminó de cenar y se está tomando el café o una copa como coñac, brandy, whisky o vino tinto.

7. Es muy prudente pedir permiso a los comensales para prenderlo.

8. Si uno es el anfitrión, se sugiere invitar a los señores a fumarse el puro en la sala o terraza.

9. No fume muy rápido un puro, ya que se quemará pronto y el humo se tornará caliente, lo cual proporciona un mal sabor. Una fumada por minuto es suficiente para mantenerlo encendido.

10. El puro, al contrario del cigarro, no debe golpearse para tirar su ceniza. Ésta caerá sola. Tampoco hay que jugar al arquitecto con ella ya que si se espera demasiado antes de sacudirla en el cenicero, se le caerá en el pantalón o en el mantel.

11. Nunca presione la colilla del puro sobre el cenicero, porque causará mal olor en el ambiente; sólo déjelo sobre el cenicero y solita se apaga.

12. Al guardar los puros, lo ideal es en una caja especial que guarde la humedad; si tiene de varios tipos no los guarde juntos, ya que el sabor se contagia de unos a otros, hay que dividirlos en compartimientos. Si no tiene la caja especial de madera, basta con humedecer la parte de abajo de la caja en la que vienen y meterla dentro de una bolsa de plástico en el lugar más fresco de su casa.

El fumar un puro...es parte del ritual del arte del buen vivir.

• Si usted quiere incorporarse a disfrutar de un buen puro, empiece con los más delgados, que son más ligeros, y poco a poco vaya aumentando de grosor ya que entre más gruesos son, más cuerpo y sabor tienen.

Uno de los amantes del fumar puro era Mark Twain, el escritor americano, quien decía: "Si en el cielo no puedo fumarme un puro, mejor no voy".

6. La propina

¿Se dará propina o no se dará? ¿Cuánto será bueno dar? Creo que a todos nos han surgido estas dudas varias veces.

La propina no es más que una forma material de decirle a alguien: "Gracias, realizaste muy bien tu trabajo", "Me di cuenta de que hiciste algo extra por mí y te retribuyo".

Sin embargo, sobre la propina no hay ninguna regla escrita, ni cantidades exactas, pero sí hay en general algunas recomendaciones.

1. La mayoría de los taxistas, meseros, peinadores, los jóvenes que le ayudan a empacar en el super, los que le ayudan a estacionarse, etcétera dependen totalmente de la propina, porque a veces ni salarios tienen.

2. La propina debe ser digna y nunca debe ser dada de manera insolente.

3. Si damos una buena propina normalmente nos garantiza que recibiremos un buen servicio en el futuro; sin embargo, es ridículo exagerar en la propina; en el extranjero los mexicanos tenemos fama de espléndidos, pero algunas veces quien la recibe se ríe de nosotros.

4. Si un capitán nos dio una buena mesa o se trata de una propina más alta, es mejor dejar la propina en billete y no en monedas. Si sólo se va a dar el poco cambio que nos queda, es mejor no dar nada.

5. Es importante, al dar la propina, ver a los ojos de la persona y decirle unas palabras amables, como "qué bien me atendió" o "qué amable fue usted" ya que esto es tan o más importante que la propina en sí, y se acordará de ellas mucho tiempo después de que se gastó el dinero.

Cuándo no dar propina

1. No hay propina obligatoria; la propina la damos para compensar un buen servicio. Si un mesero se porta grosero con nosotros, nada nos obliga a hacerlo.

2. Si el taxista no trae taxímetro y él calculó, generalmente no se le tiene que dar, ya que seguramente ya la consideró. O si nos llevó por el camino largo, pues tampoco.

Además de la forma tangible de agradecer algo, hay formas intangibles quizá más valiosas de agradecer a alguien un favor o un servicio, que es la propina espiritual.

En la época acelerada que vivimos es fácil que caigamos en la dinámica de sentirnos merecedores de un favor o de un servicio, y pasemos por alto el simple y sencillo acto de agradecer.

Sin embargo, si nos volvemos indiferentes a captar el esmero o la atención de alguien, sobre todo de nuestros seres más cercanos, seguramente estamos contribuyendo a que dejen de intentar.

La mayor parte de las veces no es con mala intención, simplemente se nos olvida agradecer algo. Sin embargo, aunque sea un año después, la gente sigue esperando que se le agradezca, ya sea con unas flores, una nota, una llamada telefónica, una mirada, un apretón de manos, etcétera... y entre mayor sea nuestra tardanza, más efusivas deben ser las gracias.

Hay situaciones, por ejemplo, en las que no se puede agradecer con nada. ¿Cómo agradecer a un doctor que le saque adelante a un hijo? En un caso así, ¿sabe qué es lo más valioso que podemos dar? Unas cuantas líneas que vengan del corazón.

Agradecer algo es una virtud que todos debemos hacer nuestra. Procuremos no sentirnos merecedores, sino ser agradecidos.

Girolamo Savonarola dijo: "El agradecimiento figura entre las virtudes mayores y más dulces que pueda poseer el hombre de este mundo."

LENGUAJE CORPORAL

CAPÍTULO XII

LO QUE COMUNICA
SU CUERPO

1. ¿Tiene usted magia corporal?

¡Qué elegante es esa persona! ¡Qué bien luce la ropa! ¿Cuántas veces no hemos pensado esto cuando vemos pasar a alguien?

Eso se llama tener "magia corporal". Algunos la tienen, otros la podemos conseguir, no sin poco esfuerzo, pero sin duda es algo que funciona como imán hacia los demás y provoca admiración.

¿Qué es? Es una forma especial de caminar, de sentirnos en nuestro cuerpo, que proviene de la seguridad de poseer una figura atractiva, en forma y tonificada. Es tener una actitud positiva hacia sí mismo y hacia la vida, que se transmite por cada poro de la piel.

La mayoría de la gente nace con cuerpos perfectamente formados, y está en nosotros lo que hagamos de nuestro cuerpo. Podemos convertirlo en un "auto deportivo último modelo", o en un "auto viejo y descompuesto". Y eso lo vamos formando día a día, con lo que comemos, con el ejercicio que realizamos, pero sobre todo con nuestra actitud.

Con esa actitud de sentirse "atractivo", de vernos a nosotros mismos como alguien "especial" del cual vale la pena ocuparse. Esa actitud es la que se ve reflejada en la forma en que llevamos o portamos nuestro cuerpo.

¡Cuánto cuesta lograr lo anterior! Significa esfuerzo, trabajo, constancia y sacrificio. Todos lo sabemos, pero cuando logramos tener una probada de la recompensa, vemos que vale la pena, ya que la primera que se ve beneficiada es nuestra autoestima.

¡Si nos sentimos bien, nos vemos bien!, y esto se manifiesta en nuestro humor, nuestro trato con la gente, familia, etcétera.

Nos gusta relacionarnos con gente de apariencia física atractiva, ¡es la verdad! No importa qué tantas cualidades tengamos: en este mundo tan cambiante somos juzgados en una primera impresión por nuestra apariencia, nuestro cuerpo y nuestra forma de conducirnos.

Nuestra tendencia natural es hacia la comodidad y el placer, pero si nos dejamos dominar por esto, tarde o temprano se nos presenta la factura. El satisfactor inmediato de darnos gusto sale muy caro y se cobra en nuestra salud, en nuestro ánimo y en nuestra apariencia.

Para animarnos, habría que recordar esta frase que alguna vez leí en un libro, que me parece muy buena: "Por cada kilo de peso que perdemos, aumenta un kilo nuestra autoestima" y viceversa. Sólo habría que amarrar al instinto en los momentos de tentación.

Además, las oportunidades aumentan. ¿Qué oportunidades?, las que usted quiera: hacer amigos, ser promovidos, mejorar nuestras relaciones, lucir la ropa, etcétera.

Se ha comprobado en los estudios de relación cuerpo-mente que los cuerpos que están rectos, balanceados, flexibles son el resultado de una realización, de un amor por sí mismos y de una urgencia por llegar a las alturas de los logros humanos. Así también, las personas con una gran energía y estamina retan al mundo y no se dan por vencidas ante las adversidades.

El estar en forma afecta todos los aspectos de nuestra vida, así que decidámonos y hagamos algo por ello.

Este cuerpo que llevamos es y será nuestro compañero fiel toda la vida. Cuidémoslo y así lograremos no sólo vernos mejor sino sentirnos mejor.

2. ¿Qué es el porte?

"¡Esta persona es importante!" Cuántas veces no pensamos o decimos esto al ver caminando a una persona por la calle, o al ver un grupo de ejecutivos salir de un elevador; inmediatamente se reconoce quién es el importante, por el porte que tiene al caminar.

El otro día me pasó exactamente eso. Tenía una cita en las oficinas de Aeroméxico con uno de los directores, y nos habíamos conocido solamente por teléfono. Llegué 5 minutos antes de la cita, y al ver salir a un grupo como de cinco señores del elevador, supe quién era la persona con la que tenía la cita, porque su actitud y su porte eran de director.

Yo estoy convencida de que lo primero que se necesita para triunfar es caminar derecho.

¿Cuándo hemos visto un triunfador jorobado, desgarbado, arrastrando los pies con flojera?

El porte es la expresión personal de cómo nos vemos a nosotros mismos, lo que transmitimos por cada poro de nuestra piel y lo proyectamos en nuestra forma de caminar.

¿Ha visto algún día un desfile de modas profesional? ¡Qué manera tan atractiva de exhibir las prendas! y hay veces en que las prendas están horribles, pero la forma en que las portan las modelos y su modo de caminar... hacen que las veamos espectaculares. Hay personas que cuando las vemos, son como actores y hay gente que en el escenario: no las notamos, porque ellas no se sienten importantes.

La palabra importante viene de in, dentro, portar, llevar, o sea, lo que lleva dentro de usted; así que para vernos importantes tenemos que llevarnos, conducirnos, portarnos de manera importante.

Todos podemos vernos importantes

1. Lo primero y lo más importante que tenemos que hacer es sentirnos mentalmente muy atractivos.

2. Contraer el estómago constantemente. Imagínese que lo están viendo en traje de baño.

3. También hay que alargar el talle, pues eso nos da por lo menos 2 cm más de altura y nos vemos 3 kilos más delgados.

4. Imaginémonos que somos una marioneta y que alguien nos está jalando del centro de la cabeza.

Ya no se usa el estar derechos como cuando éramos chicos, que nos decía nuestra mamá... "párate derecho", significaba echar los hombros para atrás, sacando el pecho (un poco militar). Ahora el control lo llevamos en la mente, el estómago y en el talle.

5. Nunca, nunca caminemos con la cabeza hacia abajo, nos da un aire de tristeza o de inseguridad. Al caminar no es necesario ver el

El porte es la expresión personal del triunfador, nunca lo verá jorobado, desgarbado ni con los brazos cruzados al frente en actitud de autoprotección.

suelo, a menos que esté en un terreno lleno de piedras, pero el ojo tiene una mirada periférica, donde al ir viendo de frente estamos también viendo el suelo.

6. Por último, al dar un paso, démoslo con toda la pierna, desde la cadera, ya que la mayoría de la gente tiende a dar el paso sólo moviendo de la rodilla hacia abajo, y esto no es elegante.

Portemos nuestro cuerpo de tal manera que las personas al vernos digan: "Esa persona es importante".

3. Cómo hacer una entrada triunfal

En esta era donde la información se produce cada vez más rápidamente, nuestra efectividad para comunicarnos determinará nuestros logros en el mundo de los negocios.

El doctor Albert Mehrabian, catedrático de la Universidad UCLA y considerado como un especialista en comunicación no verbal, nos ofrece un estudio donde muestra que en una primera impresión, lo que nos afecta es 55% la imagen, 38% el tono de inflexión de la voz y sólo 7% las palabras. Como diría Ralph Waldo Emerson: "Tus acciones hablan tan fuerte que no escucho tus palabras."

Cada vez que somos observados disparamos inmediatamente una cadena de reacciones emocionales en los demás, que varían desde la confianza hasta el miedo. Al mirarnos suponen nuestra inteligencia, educación, qué tan competentes, confiables o prósperos somos.

Estos detalles los proyectamos con los gestos de la cara, la postura, la seguridad con que entramos a un lugar, el contacto visual que hacemos. Estas reacciones son automáticas e inconscientes.

Dentro de lo compleja que es la comunicación no verbal, es importante saber cómo entrar a un lugar mostrándonos siempre seguros.

Todos sabemos lo intimidante que puede ser entrar a un lugar lleno de personas, y no se diga pararse frente a un auditorio.

Siempre tenemos que transmitir que estamos en control de la situación, y no que la situación es la que nos está controlando. ¿Quién quiere contratar, promover o conocer a alguien inseguro? ¡Nadie!

Cuando estamos nerviosos tendemos a protegernos de manera inconsciente, poniendo algún objeto frente al cuerpo, ya sea un portafolio, una carpeta, una bolsa, papeles o lo que sea. Y si no tenemos nada, simplemente ponemos los brazos, ya sea cruzados o con las manos entrelazadas.

1. Es muy importante entrar con el cuerpo abierto. Si llevamos llaves, celular, bolsa o portafolio, organicemos nuestras cosas de manera que la mano derecha nos quede libre para saludar.

2. Mentalmente tiene que convencerse de que usted es una persona importante y que tiene una razón importante para estar ahí.

3. Hay que entrar despacio, pausadamente y viendo a las personas. (Fíjese cómo hay veces en que entramos a un lugar buscando a alguien que a lo mejor está ahí frente a nosotros, y no lo vemos porque estamos conscientes de que estamos siendo observados.)

4. Nunca hay que meter las manos en las bolsas del pantalón o del vestido, ya que el mensaje que enviamos es de indiferencia o de timidez.

5. No hay que arreglarnos nada en el momento de entrar, como el pelo, la corbata o el saco o quitarnos virutas inexistentes ya que nos veremos muy autoconscientes, además de proyectar inseguridad.

6. Por último, es importante llegar temprano, ya que así, desde cualquier punto de vista, usted tiene las de ganar.

7. Hay que relajarse, respirar hondo, enderezarse y, lo más importante, sonreír. Tengamos siempre en mente que cuando visualmente pedimos respeto, lo obtenemos.

4. El saludo dice mucho de usted

¡Decimos tantas cosas! Aparentemente, el saludo es algo que no tiene mayor relevancia. Sin embargo, es el primer contacto físico que tenemos con una persona.

Este momento es muy importante, ya que tenemos la oportunidad de decir en dos segundos mucho acerca de nosotros mismos y, al mismo tiempo, de aprender mucho de la otra persona.

Desde tiempos remotos, el saludo ha significado una señal de paz. Ofrecer abiertamente la mano indicaba que no se traía un arma. Ahora esto es considerado universalmente como un gesto de aceptación, de educación, de bienvenida. Sin embargo, hay que saber saludar bien.

1. Es imprescindible tener contacto visual con la persona que estamos saludando, darle esos segundos de atención y con los ojos comunicarle: "Lo vi, lo noté, es importante", pero esto debe ser breve y no pasarse del tiempo exacto, ya que es muy fácil intimidar o agredir con la mirada.

Si alguien lo saluda sin verlo a los ojos, de entrada causa una pésima impresión.

2. Sea el primero en ofrecer la mano. Eso da el control de la situación, pues así toma usted la iniciativa, siendo abierto y directo. Sin embargo, tampoco hay que retener la mano más de lo necesario.

3. El apretón debe ser firme. Si alguien, sin importar su aspecto, nos saluda con la mano lacia, en ese momento su imagen se desintegra ante nosotros. Una mano floja refleja falta de carácter, falta de entusiasmo y falta de seguridad. ¿Quién va a querer hacer un negocio, o relacionarse más íntimamente con alguien que saluda con mano de pescado?

Cuando estamos nerviosos por lo general nos suda la mano, y algo que tendemos a hacer es dar la mano como en concha, porque nos da pena que esto se note.

En esos casos, si sabemos que nos sucede con frecuencia, un poco de bicarbonato frotado evita la transpiración. Si se le olvida hacerlo, límpiese discretamente la mano antes de saludar con un pañuelo, y si no le da tiempo, pues más vale darla sudada pero con franqueza.

4. *Hay que abrazar la mano de la otra persona para que haya un franco paso de energía.* El saludo es como unir dos cables para que pase la corriente. Si las manos no tienen un buen contacto, no hay un paso franco de energía y por lo tanto de información.

5. *¡Por favor distinga entre una mano firme y una mano trituradora!* Hay veces en que los hombres son demasiado enérgicos en el saludo, y casi llegan a lastimar la mano del otro, sobre todo cuando es mujer.

En los negocios, un saludo demasiado fuerte puede transmitir reto, resentimiento o extrema competitividad, impresiones que no conviene dar.

El saludo de sandwich, es decir, cubriendo la mano del que saludamos con nuestras dos manos, es un gesto de mucho afecto y por lo general se hace entre dos amigos o con una persona mayor que respetamos; cuando no es el caso, la gente se siente incómoda pues por lo general este gesto se siente falso y, por supuesto, en los negocios no se ve bien.

Al saludar guarde distancia entre usted y la persona, no retenga innecesariamente su mano.

Los jóvenes han adoptado la moda de saludar de palmazo y luego resbalar la mano por la espalda. Esto sólo es adecuado entre amigos.

También hay gente que quiere marcar una superioridad y tiene la mala costumbre al dar la mano, voltearla hacia abajo, como gesto de dominio. Esto no debe hacerse nunca. Sin embargo, cuando alguien la ofrece con la palma hacia arriba, está mostrando un deseo de aceptar un papel subordinado.

Los nuncas

• Nunca deje a alguien con la mano extendida. ¡Se siente horrible!

• Nunca bombee la mano como si estuviera sacando agua.

• Nunca veamos al de junto o al de atrás mientras aún se estrecha la mano de otro.

• Nunca salude de mano a alguien mientras está comiendo o cuando está tomando la copa. Se debe esperar a que termine.

• No salude ostentosa y alborotadamente a alguien de lejos, cuando se lo encuentra en un restaurante.

• No olvidemos que la última impresión que dejamos es muy importante, y ésta la dejamos cuando nos despedimos de mano. Deje una buena imagen y despídase correctamente.

5. Lo que nos dice la forma de sentarse de una persona

La retroalimentación juega un papel fundamental en la comunicación. Cada gesto, cada movimiento que haga una persona, por pequeño que sea, es muy importante. Nos indica de momento a momento y de movimiento en movimiento exactamente cómo las personas o grupos están reaccionando.

La retroalimentación puede avisarnos que tenemos que cambiar, retirarnos, suavizar o hacer algo diferente, para obtener el resultado que queremos. Al no ser sensibles a esa retroalimentación, hay una fuerte posibilidad de que la comunicación falte o que simplemente no se dé.

Hoy en día, dentro de ese enorme campo de la comunicación no verbal, veamos lo que quieren decir las distintas formas de sentarnos.

Las sillas donde nos sentamos tienen una enorme influencia en el aumento de estatus, y el poder depende de los siguientes factores: el tamaño del asiento, sus accesorios, la altura de la silla y la ubicación. Por ejemplo, un alto ejecutivo tiene un sillón de cuero con respaldo alto y la silla de visita tiene el respaldo más bajo.

Los sillones giratorios representan más poderío que los fijos, puesto que permiten libertad de movimientos, sobre todo cuando se está bajo presión, lo cual las sillas no permiten.

También influye en nuestra forma de sentarnos el hecho de que la silla tenga brazos o no, ya que si los tiene podemos recargar el codo o el brazo, lo que da un aspecto de mejor tranquilidad al hablar.

Una forma de sentarse que muestra superioridad y dominio del territorio es cuando la persona recarga la cabeza en el respaldo, pone el cuerpo derecho y se cruza de brazos. Sin embargo, no es muy cortés para quien lo ve.

Se ha observado que una persona, cuando se recorre a la orilla de la silla, está lista para la acción, ya sea positiva o negativa. O está mostrando mucho interés, quiere comprometerse, aceptar y cooperar, o está nerviosa, tensa y ansiosa de irse.

Si hacemos una larga antesala al ir a ver a alguien, de momento nos sentamos bien, pero después de media hora, cuando esta persona abre la puerta, si nos encuentra mal sentados en el sillón, de entrada ya perdimos.

Tampoco hay que mostrar nerviosismo y sentarnos todos tiesos y simétricos, como si estuviéramos a punto de entrar al dentista, con los brazos pegados al cuerpo, las manos sobre los muslos y las piernas juntas.

La forma en que proyectamos personalidad y seguridad al sentarnos es la siguiente:

Tóquese por favor el hombro, ahora la clavícula, trace un triángulo y sienta un punto frágil. En este punto (yo me imagino un círculo) es por donde canalizamos energía al exterior. Si este círculo está cerrado porque nos encorvamos o echamos los hombros hacia adelante, entonces la energía no sale y nos vemos totalmente sin personalidad. Sin embargo, si usted abre bien esos canales de energía, ya sea cuando está sentado o parado, usted se verá muy importante. Eso es lo primero que hay que atender.

Después, siéntese asimétricamente, ya sea con una pierna cruzada o recargue un brazo en el sillón. Separar los brazos del cuerpo nos

Cuando haga antesala no se siente rígido, nervioso y simétrico, ni tampoco tan descansadamente que cause mala imagen. Siéntese derecho y sin cruzar los brazos.

hace vernos seguros. Es como el boxeador: cuando se protege pega los brazos al cuerpo. Cuando estamos con nuestros amigos, los separamos.

En el momento de una negociación, trate de no cruzar los brazos o las piernas. No hay un solo caso de que se tenga récord en el que se haya logrado una negociación si una de las dos partes tiene la pierna cruzada. Esto lo confirma Gerard Nierenberg. Incluso la persona que cruza la pierna durante el convenio es la que más necesita atención y la más cerrada. Ahora que si esta persona tiene los brazos y las piernas cruzadas, tiene usted un verdadero adversario.

Las probabilidades de llegar a un acuerdo común aumentan si los exponentes descruzan la pierna y se acercan, o simplemente si se desabrochan o se quitan el saco.

Cuando una mujer cruza la pierna y mueve el pie como si estuviera pateando algo, de seguro está aburrida.

El sentarse con los pies arriba del escritorio, además de ser una enorme falta de educación, revela a alguien arrogante y pedante. Es una muestra evidente de superioridad y defensa de territorio.

Cuando una persona quiere decir algo pero reserva su opinión, por lo general toma con fuerza los brazos del sillón y cruza los tobillos.

Cuando una persona muestra franqueza y honestidad, se va a sentar con los brazos y piernas separados, las palmas hacia arriba, un pie adelantado, la cabeza en alto, el saco desabrochado e inclinado hacia adelante con una sonrisa.

En la medida en que comprendamos los significados de la comunicación no verbal, en esa misma medida nos comunicaremos mejor.

6. El secreto lenguaje de las manos

¿Qué es lo que se puede leer en las manos? Hay quienes leen la suerte o el futuro de las personas en la palma de la mano, pero en las manos se puede leer mucho más que esto si aprendemos su lenguaje secreto.

Todos mandamos mensajes a través de nuestro lenguaje corporal, pero especialmente con las manos; en esta ocasión vamos a analizar sólo cuando las manos van del cuello para arriba.

Mejilla

Cuando ponemos la mano en la mejilla, como el niño que ve desde la escalera a los adultos que están abajo… esta postura nos habla de que la persona está pensando o está en algún tipo de meditación.

Cuando estiramos el dedo índice a la sien es señal de que estamos analizando.

Si está la mano a la altura del mentón y continúa con el dedo índice hacia arriba, acompañado de inclinarse para atrás, se convierte en una postura de evaluación crítica y negativa.

Cuando exponemos algo, y entre los asistentes hay varios que asumen la posición que acabamos de describir, significa que va a ser un grupo difícil de persuadir.

Cuando colocamos toda la palma abierta sobre la cara, bajamos los párpados a la mitad y no parpadeamos, estamos mostrando estar total y absolutamente aburridos y que nos parece indiferente lo que estamos presenciando.

Cuando asume esta posición, es que no le importa que noten abiertamente que está aburrido.

Mentón

Cuando nos frotamos el mentón… es una pose que indica: "Déjame considerarlo", y lo hacemos cuando estamos decidiendo algo. Esta postura la podemos observar frecuentemente en un jugador de ajedrez, mientras decide la jugada.

Una vez que se decidió, este "frotar el mentón" se detiene y no precisamente se tenga que usar la mano.

Algunos hombres de negocios lo hacen muy ligeramente tratando de disimularlo, y acompañan este gesto con un movimiento de cerrar ligeramente los ojos como si observaran la respuesta a distancia.

Nariz

Cuando las manos se llevan a la nariz y se acompañan de un cerrar de ojos, comunica que está en contacto consigo mismo, pensando seriamente un asunto o preocupado acerca de la decisión que está tomando.

Cuando bajamos la cabeza y nos pellizcamos el puente de la nariz, es que estamos seriamente preocupados.

Cuando se ve que alguien hace ese gesto, hay que callarse y esperar a que exprese sus sentimientos.

Cuando sólo se toca o se talla ligeramente la nariz, es un signo de duda o de rechazo.

Pregúnte a un adolescente algo que sea difícil de contestar y observe qué tan rápido hace este movimiento de tocar o tallar la nariz. (A veces se talla la nariz porque tiene comezón, entonces no hay que tomar esto tan literalmente, aunque en realidad sí hay una diferencia, porque cuando se hace por comezón se hace muy rápidamente, y cuando es de duda, se acompaña de un gesto de enconchamiento.)

Otra variación de duda es cuando ponemos el dedo atrás de la oreja, porque estamos sopesando una respuesta, o si nos tallamos el ojo, estamos diciendo de alguna manera que no vemos claramente las cosas.

Boca

Cuando una persona se lleva la mano a la boca al hablar denota que quizá está mintiendo o está insegura de lo que dice o de su persona.

Ahora que también hay que considerar las circunstancias, ya que a lo mejor viene del dentista con la boca dormida, o alguien le dijo que tenía mal aliento.

Pero si ésa es su manera frecuente de hablar, seguro se trata de alguien que suele mentir o se siente muy inseguro.

Cuando repentinamente se lleva la mano a la boca, se trata de un gesto de asombro, que también puede darse cuando acabamos de decir algo de lo que nos arrepentimos, casi como si quisiéramos comernos las palabras. O nos tapamos la boca cuando decimos algo que no queremos que los demás se den cuenta.

Asimismo, el llevarse objetos a la boca, como la patita de los anteojos, nos dice que la gente busca más alimentación, posiblemente en forma de información, o busca tiempo para pensar. Usualmente lo hace para ganar tiempo. Como no podemos hablar con objetos en la boca, nos da tiempo para pensar las cosas antes de hablar.

Cuello

Cuando experimenta un conflicto interior, frustración o enojo, solemos tallarnos la parte posterior del cuello. Y de hecho es un gesto reprimido, ya que la tendencia es levantar la mano para golpear un objeto, una pared o a alguien.

Frente

Cuando nos llevamos la mano a la frente, es porque de pronto nos percatamos de que cometimos alguna torpeza, o que se nos olvidó algo. Podremos aprender mucho de los libros; sin embargo, el aprendizaje más importante, la sabiduría del mundo, la adquirimos si aprendemos a leer a los seres humanos, especialmente lo que nos comunican con sus manos.

La postura de las manos sobre nuestro rostro envía diversos mensajes: cuando llevamos la mano a la frente es porque nos percatamos de alguna torpeza propia, la mano sobre el puente de la nariz es sinónimo de reflexión, si nos tocamos la cara con la palma es por aburrimiento, y la inseguridad nos hace tocar la cara.

El secreto del lenguaje de los brazos y las manos es que envían mensajes de una forma consciente bien leídos, y que los podemos descifrar en una forma consciente.

Si es un buen observador, se dará cuenta cómo:

• Un cliente con las manos bien metidas en las bolsas no le va a comprar su producto ni sus ideas. Una persona que es tacaña o mezquina se frota las manos como si las estuviera lavando.

Cuando una persona tiene una riqueza de lenguaje, al hablar no siente la necesidad de utilizar tanto las manos.

Con las manos mandamos signos positivos, de hostilidad, de inseguridad o de prepotencia.

• Cuando una persona se pone las manos en las solapas denota poca humildad y mucha prepotencia y arrogancia.

• Así también cuando se pone las manos cruzadas detrás de la cabeza y se inclina hacia atrás. Ni siquiera el dueño o presidente de la empresa debe adoptar esta postura. Muestra una total superioridad. Le está diciendo "Te puedo ganar... sin meter las manos". (Ahora, si usted quiere que una persona así baje los brazos, nada más quédesele viendo abajo del brazo fijamente y va a ver cómo de inmediato cambia de postura.)

• Es interesante observar cuando una persona se cruza de brazos, y usted le puede estar diciendo que sí le parece tal cosa, pero con esa postura le indica que está cerrado a las ideas, o que está incómodo o a la defensiva.

Fíjese cuando están dos personas en una negociación y una de ellas cambia favorablemente su opinión. De inmediato descruza los brazos e instintivamente se desabrocha el saco.

• Otro gesto que a la mayoría de las personas nos molesta mucho es el dedo apuntador, ya que es amenazante y agresivo. Es común observarlo en discusiones acaloradas y se usa casi como espada.

Cualquiera que tenga un perro ha comprobado qué eficiente es este dedo para comunicar órdenes o disciplina. Y el animal, aunque no entiende palabras, entiende el dedito.

• Una persona que tiene las manos atrás y el mentón levantado refleja una posición de sargento revisando a la tropa, estilo Mussolini.

• Ahora, si tiene la cabeza baja y las manos atrás con el puño cerrado, podemos darnos cuenta de que la persona está bajo mucha presión, tensa o angustiada.

Las ilustraciones de arriba muestran reflexión y duda respectivamente. Las de abajo, la primera indica una barrera y la segunda toma de decisiones.

• Pero si las manos están atrás, a la altura de la cintura, en la mujer es señal de timidez.

¿Se acuerda del niño arrastrando su cobija siempre en las caricaturas de Carlitos y Snoopy? El buscar seguridad en una cobija o trapito no sólo es un gesto de niño chiquito, los adultos también lo hacemos y lo manifestamos de varias formas:

• Metemos las manos a las bolsas.

• Nos quitamos nerviosamente la cutícula o los pellejitos de los dedos.

• Nos pellizcamos la parte blandita de las manos (es más frecuente en las mujeres, pero los hombres también lo hacen).

• Cuando una mujer escucha algo que le incomoda, graciosamente y muy despacio coloca la mano en la garganta, como si estuviera verificando un collar imaginario. Cuando una mujer hace ese movimiento, usted puede darse cuenta de que no está totalmente segura de lo que está diciendo o de lo que está escuchando.

Los ademanes positivos

• Las manos en pirámide. Cuando pega los dedos en forma de pirámide, el pulgar apunta al centro de la cabeza, es un gesto de orgullo que utilizan mucho los psicólogos, los políticos y los sacerdotes, e inmediatamente nos comunican que es una persona centrada y que está muy segura de lo que está diciendo.

Si está jugando póker y alguien asume esta posición, más vale que tenga una excelente mano; si no, sálgase del juego.

• Las manos al pecho. Fíjese cómo siempre que un hombre habla desde el fondo del corazón y quiere mostrar lealtad, honestidad o devoción se lleva una mano al pecho.

Una mujer rara vez usa este gesto. Ella se lleva una mano al pecho como gesto protector, cuando algo nos sorprende o nos impacta.

Como termómetro de lo que la gente piensa, los ademanes son más confiables que las palabras.

Un consejo: córtese las uñas y lávese frecuentemente las manos. Me gustaría terminar con una frase del *Talmud*:

"¿Por qué será que nacemos al mundo con las manos cerradas y lo dejamos con las manos abiertas?

Ojalá sea por haber sido muy generosos con los demás."

CONCLUSIÓN
¡SÍ FUNCIONA!

Alcanzar el éxito comienza con la voluntad. Para lograrlo, en cualquiera de nuestras áreas, es esencial una comunicación efectiva con la familia, en el ámbito profesional, y también con los amigos. En la comunicación se pone en juego prácticamente todos los aspectos de nuestro ser.

La forma que los demás nos perciban puede abrirnos o cerrarnos muchas puertas. Para proyectar profesionalismo; en resumidas cuentas, para triunfar es indispensable tener la capacidad de transmitir con nuestro lenguaje verbal y no verbal lo que realmente somos y queremos ser. Nuestra comunicación es nuestra responsabilidad.

A través de estas páginas hemos recorrido distintos aspectos mediante los cuales podemos mejorar tanto intrínsecamente como en nuestras relaciones con los demás. Ser una persona completa es un proceso que quizá nos lleve toda la vida. Sin embargo, usted ya ha adquirido técnicas valiosas para comunicarse con eficiencia.

Autocalifíquese, marque sus metas. El cambio se hará sentir y su vida mejorará.

Recuerde que el arreglo personal es la puerta que abrimos para mostrar a los demás quienes somos. Arreglémonos. Presentémonos lo mejor posible. Iluminemos cada uno de los colores de ese arcoiris que irradiamos a nuestro alrededor. Cultivemos nuestro ser interno.

Sólo entonces lograremos la verdadera imagen del éxito. ¡Mucha suerte!

BIBLIOGRAFÍA

Ailes, Roger. *You are the message.* Currency Doubleday.

Anthony Bower, Sharon. *Asserting yourself.* Adisson Wesley.

Baldrige, Leticia. *The new manners for the 90's.* Scribner.

Bixter, Susan. *The professional image.* Putnam.

Burley-Allen, Madelyn. *Listening the forgotten skill.* Wiley.

Davies, Philippa. *Total confidence.* Piatkus.

Dawson, Roger. *Secrets of power persons.* Prentice Hall.

Faux. Marian. *Executive etiquette in the new workplace.* St. Martin's Press.

Flusser, Byalan. *Clothes and the man.* Villard Books.

Girard, Joe. *How to sell yourself.* Warner Books.

Hall, Edward T. *La dimensión oculta.* Siglo XXI.

Holder, Robert. *You can analyze handwriting.* Signet Reference.

Levitt, Mortimer. *The executive look.* Atheneum.

McKay, Matthew. *Messages.* New Haarbinger Publications, Inc.

Nierenberg, Gerard Y. *How to read a person like a book.* Barnes & Noble.

Panté, Robert. *Dressing to win.* Doubleday.

Spillane, Mary. *Presenting yourself.* Piatkus.

Tuckerman, Nancy. *The Amy Vanderbilt complete book of etiquette.* Doubleday.

Wainwright, Gordon R. *Body language.* NTC Publishing Group.

ÍNDICE ONOMÁSTICO

E